NEW
서울대 선정
인문고전
60선

43
박제가 북학의

NEW 서울대 선정 인문 고전 ㊸
(만화) 박제가 **북학의**

개정 1판 1쇄 발행 | 2019. 8. 21
개정 1판 2쇄 발행 | 2021. 9. 27

곽은우 글 | 이상윤 그림 | 손영운 기획

발행처 김영사 | 발행인 고세규
등록번호 제 406-2003-036호 | 등록일자 1979. 5. 17.
주소 경기도 파주시 문발로 197 (우·10881)
전화 마케팅부 031-955-3100 | 편집부 031-955-3113~20 | 팩스 031-955-3111

값은 표지에 있습니다.
ISBN 978-89-349-9468-8
ISBN 978-89-349-9425-1(세트)

좋은 독자가 좋은 책을 만듭니다. 김영사는 독자 여러분의 의견에 항상 귀 기울이고 있습니다.
전자우편 book@gimmyoung.com | 홈페이지 www.gimmyoungjr.com

이 도서의 국립중앙도서관 출판예정도서목록(CIP)은 서지정보유통지원시스템 홈페이지(http://seoji.nl.go.kr)와
국가자료종합목록시스템(http://www.nl.go.kr/kolisnet)에서 이용하실 수 있습니다. (CIP제어번호 : CIP2018042965)

어린이제품 안전특별법에 의한 표시사항
제품명 도서 제조년월일 2021년 9월 27일 제조사명 김영사 주소 10881 경기도 파주시 문발로 197
전화번호 031-955-3100 제조국명 대한민국 ⚠주의 책 모서리에 찍히거나 책장에 베이지 않게 조심하세요.

미래의 글로벌 리더들이 꼭 읽어야 할 인문고전을 만화로 만나다

NEW 서울대 선정 인문고전 60선

43

박제가 북학의

곽은우 글 · 이상윤 그림

주니어김영사

〈NEW 서울대 선정 인문고전60〉이 국민 만화책이 되기를 바라며

제가 대여섯 살 때 동네 골목 어귀에 어린이들에게 만화책을 빌려주는 좌판 만화 대여소가 있었습니다. 땅바닥에 두터운 검정 비닐을 깔고 그 위에 아이들이 좋아하는 만화책을 늘어놓았는데, 1원을 내면 낡은 만화책 한 권을 빌릴 수 있었지요. 저는 그곳에서 만화책을 보면서 한글을 깨쳤고 책과의 인연을 맺었습니다.

초등학교 때는 용돈을 아껴서 책을 사서 읽었고, 중학교 때는 학교 도서 반장을 맡아 도서관에서 매일 밤 10시까지 있으면서 참 많은 책을 읽었습니다. 그 무렵 헤밍웨이의 《노인과 바다》를 손에 땀을 쥐며 읽으면서 인생에 대해 고민했고, 헤르만 헤세의 《수레바퀴 아래서》를 읽으며 사춘기의 심란한 마음을 달랬습니다. 김래성의 《청춘 극장》을 밤새워 읽는 바람에 다음 날 치르는 중간고사를 망치기도 했습니다.

당시 저의 꿈은 아주 큰 도서관을 운영하는 사람이 되어 온종일 책을 보면서 책을 쓰는 작가가 되는 것이었습니다. 나이가 들고 어느 정도 바라는 꿈을 이루었습니다. 큰 도서관은 아니지만 적당한 크기의 서점을 운영하고, 글을 쓰는 작가가 되었거든요. 저는 여기에 새로운 꿈을 하나 더 보탰습니다. 그것은 즐거운 마음과 힘찬 꿈을 가지게 해 주고, 나아가 자기 성찰을 도와주는 좋은 만화책을 만드는 일이었습니다. 이렇게 해서 만든 책이 바로 〈서울대 선정 인문고전〉입니다. 서울대학교 교수님들이 신입생과 청소년들이 꼭 읽어야 할 책으로 추천한 도서들 중에서 따로 60권을 골라 만화로 만든 것입니다. 인류 지성사의 금자탑이라고 할 수 있는 고전을 보기 편하고 이해하기 쉽도록 만화책으로 만드는 일은 쉬운 일은 아니었습니다. 약 4년 동안에 수십 명의 학교 선생님들과 전공 학자들이 원서의 내용을 정확하게 전달할 수 있도록 밑글을 쓰고, 수십 명의 만화가들이 고민에 고민을 거듭하면서 만화를 그려 60권의 책을 만들었습니다.

〈서울대 선정 인문고전〉이 완간되었을 무렵에 우리나라에 인문학 읽기 열풍이 불기 시작했습니다. 〈서울대 선정 인문고전〉은 인문학 열풍을 널리 퍼뜨리는 데 한몫을 하면서 독자들의 뜨거운 사랑과 관심을 받았습니다. 덕분에 지금까지 수백만 권이 팔리는 베스트셀러가 되었습니다. 그 사랑에 조금이나마 보답을 하기 위해 《칸트의 실천이성 비판》, 《미셸 푸코의 지식의 고고학》, 《이이의 성학집요》 등 우리가 꼭 읽어야 할 동서양의 고전 10권을 추가하여 만화로 만들었습니다.

〈서울대 선정 인문고전〉은 어린이와 청소년이 부모님과 함께 봐도 좋을 만화책입니다. 국민 배우, 국민 가수가 있듯이 〈서울대 선정 인문고전〉이 '국민 만화책'이 되길 큰마음으로 바랍니다.

손영운

《북학의》를 통해 현재의 우리를 돌아봐요

지금도 눈을 크게 뜨고 세상을 바라보면 '지구촌(Global Village)', '세계(The World)'가 들어옵니다. 우리가 먹고살 만하니 다른 나라들도 이 정도는 되겠지? 하고 생각하면 큰 오산입니다. 전쟁 후유증과 미개 문명으로 굶어 죽어가는 어린이들이 6초에 1명이라는 통계가 나올 정도로 심각한 상황이지요. 우리가 그들에게 도움을 주기 위해서는 그들의 상황을 정확히 알아야만 합니다.

상황을 바꿔서, 지금 우리도 살 만하니 200년 전에도 그랬겠지? 하고 생각합니다. 조선시대 백성이나 우리들의 할머니, 할아버지가 비슷하게 생활했을 거라고 말입니다. 하지만 절대 아닙니다. 정치권의 권력 다툼과 기술 유입의 문을 닫았던 폐쇄정책 때문에 불과 200년 전인데도 지금과는 전혀 다른 세상 속에서 살았습니다. 기본적인 생계유지가 안 되어, 세금을 내지 못하고 도망 다녀야 했던 백성들도 많았습니다. 상상하고 싶지 않은, 자존심 상하는 모습이었습니다.

물론 지금은 그렇지 않습니다. 고전을 읽을 때는 '지금, 현재, 여기'를 기준으로 판단하여 의미를 따지는 것이 아닙니다. 과거의 지식이 그 당시 삶에서 어떤 의미를 갖는지 살펴보는 것이 필요합니다. 중국의 선진 문물을 배우자는 것이 지금 보면 얼토당토않은 생각이지만, 의미를 달리해 박제가가 《북학의》를 내놓았을 때도 당대 사대부들은 기막혀 했습니다. '우리보다 앞선 기술이 중국에 있을까?' 하고 궁금해 하는 지금과는 달리, 조선 후기 사대부들은 청나라를 '만주족의 나라'로 비하하고 무시했기에 그들과의 외교를 철저히 단절했습니다. '숭명배청(명나라를 숭상하고 청나라를 배

척함'이라는 정책으로 중국과 고립되면서 기술과 문화의 유입을 차단했고, 고인 우물물같이 정체(停滯)된 조선이 돼 버린 것입니다.

이런 시기에 실학자 박제가가 청나라의 풍속과 제도를 시찰하고 돌아와, 기득권층이었던 사대부들을 향해 명분밖에 없는 '북벌론'과 기술을 천대하는 정책에 대한 날카로운 비판을 써 내려간 기행문이 바로 《북학의》입니다. 박제가의 신랄한 비판이 가능할 수 있었던 것은 문예를 존중하고 인재등용의 형평성을 지켰던 임금 정조의 후광이 있었기에 가능했습니다. 정조의 죽음으로 조선은 개혁의 기회를 놓쳤고 불운한 식민시대로 가야 했던 아픔의 역사가 이어졌습니다.

과거의 잘못과 그 시대의 아픔을 깊이 이해하면 앞으로의 역사를 만드는 데 많은 지혜와 혜안을 갖게 해줄 것이라고 믿습니다. 《북학의》에서 인재등용과 과거시험에 대한 비판을 읽으며, 지금 우리의 현실에 가슴이 저릿해 오는 것은 현행 입시 제도가 떠올라서일까요?

"사람이 태어나 열 살 무렵이면 두각을 나타내면서 점차 성장하는데, 마치 대나무가 처음 솟아날 때부터 1만 자 크기로 자랄 기세를 보이는 것과 같다. 이러한 때에 과거시험 문장을 가르쳐서, 몇 해를 골몰하게 만들면 이후에는 그 병을 고칠 길이 없다. 요행히도 과거에 급제하면 그날로 그때까지 배운 것을 버린다. 한 사람이 평생의 정기를 몽땅 과거시험에 소진하였건만 정작 나라에서는 그 사람을 쓸데가 없는 것이다."
　-《북학의》 중에서

마지막으로 인생의 가장 든든한 후원자이자, 뒤늦은 독서 삼매경을 응원해 주었던 남편에게 아낌없는 사랑과 감사함을 전하고 싶습니다.

곽은우

박제가, 또 한 명의 홍길동 등장이오!

허황된 판타지 소설 같은 내용처럼 보일 수 있는 《홍길동전》이 당시 사람들에게 사랑받았던 것은 그 주제가 당시 조선 사회의 아픈 부분을 날카롭게 지적하고 있어서였습니다. 소설 속 홍길동이 처음으로 사회의 부조리에 눈뜨게 된 신분제도의 모순과 관료제도의 폐해 등은, 실제로 조선시대 내내 그로 인해 백성들이 일상적으로 고통받을 수밖에 없었던 엄혹한 현실이었습니다.

홍길동과 마찬가지로 서자 출신의 한계를 뼈저리게 느꼈던 박제가는 당시 사회를 지배하던 사상 체계인 성리학으로 인해, 조선 전체가 낙후하고 여러 가지 폐해를 갖게 되었다고 보았습니다. 때마침 청나라의 앞선 문물을 접하고 그 속에서 해결책을 발견했던 박제가는 정치, 경제, 교육, 과학, 기술, 역사, 문학, 풍습 등 우리 문화에 대한 광범위한 연구를 통해 조선 사회의 변화를 이끌어 내려 했습니다. 한마디로 홍길동이 활빈당이라는 의적의 무리를 만들어 부조리한 세상에 자신의 이상을 펼쳐 보이려 했다면, 박제가는 《북학의》로 대표하는 자신의 실사구시 사상을 내세워 낙후하고 활기 없는 조선 사회를 개혁하려 했던 것입니다. 이를 통해 그가 진정으로 이루고자 했던 것은 청나라 문화의 수용, 그 자체가 아니라 그것을 통해 이 나라와 백성이 부강해지는 것이었습니다.

하지만 홍길동처럼 박제가도 그의 주장을 실현하기 위해서는 당시 사회를 지배하고 있던 성리학과 양반 사회를 근본부터 개혁해야 했기 때문에 그가 제안한 제도들을 시행할 수 있는 힘을 가지고 있던 지배세력에게 결코 환영받을 수 없었습니다. 하물며 박제가와 같은 서얼들을 주요 관직에 기용했던 정조조차도 박제가의 이런 주장을 적극적으로 수용해 펼칠 수 없었으니까요.

홍길동은 활빈당을 이끌고 조선을 떠나 '율도국'이라는 이상사회를 건설하지만, 《북학의》를 통해 세상을 바꾸고 싶었던 박제가는 당시 사회제도의 견고한 벽에 막혀 살아 있는 동안 그 빛을 볼 수 없었습니다. 하지만 시간이 지나 폐쇄적이던 조선이 개화의 시기를 맞으면서 박제가가 주장했던 내용들은 하나하나 그 가치를 인정받고, 꿈쩍하지 않을 것 같던 사회제도도 서서히 바뀌기 시작했습니다. 게다가 국가 간 무역과 통신이 하루가 다르게 자유로워지는 요즘은 그 옛날 '외국의 앞선 문물을 받아들여 우리의 생활을 개선하자.'라고 외쳤던 박제가의 주장이 더더욱 지상명제처럼 받아들여지니, 그 혜안이 놀라울 따름입니다.

더 이상의 부조리함이 없는 박제가의 '율도국'이 실현될 때까지 좌절하더라도 끊임없이 되살아날 수밖에 없는 그의 애민의 의지는 지금까지도 유효한 가치로 인정받고 있기 때문에, 진정 그 꿈이 좌절되었다고 볼 수는 없습니다. 또 우리 사회 곳곳에서 부조리와 폐해가 끊임없이 발견되고 그 시대처럼 고통받는 백성들이 여전히 존재하는 한, 200여 년 전 세상을 향해 외쳤던 박제가의 개혁을 향한 꿈은 오늘날에도 그 가치가 유효한, 살아 있는 꿈이라고 할 수 있습니다.

이상원

| 차 례 |

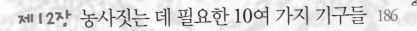

《북학의》는 어떤 책일까?

제1장

北學議

'북학' 하면 뭐가 생각나니?

북녘 북(北)에 배울 학(學)이란 것에서 알 수 있듯

北學

바로 '북쪽의 학문'을 가리키는 거야.

북쪽의 학문을 익히면

득템하리라 ～♫

우리나라의 북쪽은? 북한? 아닙니다.

한민족, 한겨레! 잊지 마시라요!

중국? 맞습니다!

니 하오

여기서 '북학'은 조선시대의 북쪽 국경 너머에 있는 중국의 학문을 가리키는 말이지.

조선

그렇다면, '북학의'란 뜻을 알 수 있겠지?

중국의 학문과 문물을 소개하고, 그것을 배우자는 내용이 담긴 책이 바로 《북학의》라고!

조선 후기 실학자 박제가가 1778년, 중국에 사신으로 가는 채제공을 따라 연경을 다녀와 그곳에서 보고, 듣고, 배우고, 기록한 것을 자료로 남긴 책이 바로 《북학의》야.

'북학의'라는 말은 원래 중국 고전인 《맹자》에 나오는 말을 본뜬 건데,

《맹자》에 중국 땅의 '북쪽의 학문'을 배워야 한다는 내용이 나와.

박제가는 중국에서 뭘 배우려고 한 것일까?

아따!

크~다!

'중국' 하면 뭐가 생각나니?

CHINA

10억이 넘는 엄청난 인구?

와글 와글

아니면 지구 밖에서도 보인다는 10년 동안 지은 만리장성?

아니면 불로장생(不老長生) 약을 구하기 위해 온 세상을 뒤졌다는 진시황?

중국은 규모로 보나 소문으로 보나 뭐든지 어마어마한 것들이 많지.

몇백 년 전만 해도 중국은 동양에서 가장 거대하면서도 발전한 문화를 가지고 있던 선진 국가였어.

물론 지금도 중국은 세계 강국에 속하지만,

조선 왕조 시절, 중국은 단순히 강국 이상의 의미가 있었어.

정신적·철학적·사상적으로 근원이 되는 문명 선진국의 위치에 있었다는 말씀!

그래서 조선은 중국을 형님 또는 스승님 정도의 예의와 격식을 갖추어

형님!

그 문명을 흡수했고,

선진 사상 흡수

그것을 창조적으로 발전시켜 우리의 역사를 이끌었던 것이지.

성리학으로 번영하세!

이런 거대 문명국 가까이에 위치했던 조선은 건국하자마자부터

朝鮮

이성계

명나라에 조공을 바치는 등 절친한 관계를 맺고 예의를 다하여 숭상했지.

明 영각제

오, 이것이 그 유명한 개성 인삼이로군!

매년 정기적으로 사절을 교환하고 문화·경제적 교류를 활발히 했어.

니하오~

안녕하시오~

우리나라에 왜적이 침입했던 임진왜란 때는

조선군은

종이호랑이 였구나!

倭

명나라가 3만 명의 군사를 보내 주어 위기의 순간을 넘기기도 했으니,

明

윽! 명나라 군사다!

지정학*적으로나 문화적으로 우호관계를 맺고 있었던 거지.

明 朝鮮 倭

*지정학 – 정치 현상과 지리적 조건의 관계.

하지만 이런 관계가 180도 전환되는 중대 사건이 생겼어.

명나라가 중국 땅을 지배하던 시절, 만주 벌판에 뿔뿔이 흩어져서 어업, 수렵 생활을 하던 여진족(만주족) 수장(首將) 누르하치는

흩어졌던 부족들을 하나로 통일해 강력한 세력을 모으기 시작했어.

모여라~!

누르하치는 '후금'을 세웠고,

명나라와 전쟁을 해 '중화*'를 자랑하던 '명'을 꺾어 버린 거야.

그 뒤 후금은 국호를 '청'으로 바꾸고 중국 땅을 평정했지.

*중화中華 – 중국 사람들이 자기 나라를 이르는 말. 세계의 중앙에 있고 가장 문명이 발달한 나라라는 뜻.

여진족은 어떤 민족이냐고?

과거에 그들은 조선을 '아버지의 나라'로 섬기면서 조공을 바치기도 했고,

어험

우리는 변방의 여진족을 혼란스럽다 하여 정벌하는 등 열등한 민족이라고 여겼어.

그런데 여진족이 세운 '청'이 동아시아와 중앙아시아를 거머쥐고 강력한 힘을 보유하게 된 거지.

한족의 시대는 갔다!

당시 청나라는 현재 중국의 영토와 거의 비슷할 정도의 국경선을 확정했다고 하니, 여진족의 기세를 짐작할 만하지?

과거 역사를 통해 조선은 강한 군사력으로 여진족을 제압했는데,

부들

이제는 상황이 역전되어 거대한 중국 본토에서 여진족이 황제가 되었으니

청 태조 누르하치

조선 사람들은 오랑캐인 여진족을 중화로 절대 인정하지 않았어.

아니, 그 야만인들이 중원을 차지하다니!

절대 인정할 수 없소!

게다가 청나라는 조선에게 형제 간의 예가 아니라 군신(君臣)의 예를 다하라고 요청해 왔어.

평등 관계도 시원치 않은데, 상하 관계를 요청했으니, 조선 입장에서는 치욕적인 일이었지.

신하의 예를 다하라!

조선의 많은 신하들은 여진족에게 군신의 예를 갖출 수 없다고 주장했고,

절대 불가한 줄로 아뢰오~!

조선의 이러한 자세에 분개한 청나라는 우리나라에 쳐들어왔는데, 이것을 병자호란이라 하지.

10만 대군 앞으로!

우리를 얕봤겠다!

두둥

조선은 임경업 장군 등이 청을 막으려 했으나, 위기에 몰리게 되었고,

백마 산성

욱- 이놈들이~

와글 와글

청은 서울까지 진입했어.

개성

파죽지세!

한양

왕족들은 할 수 없이 강화도와 남한산성으로 피신하게 되었고, 결국 항복할 수밖에 없었지.

삼전도의 치욕-강화 삼전도비

항복의 조건으로 군신의 예를 다할 것과, 여러 가지 굴욕적인 조약을 맺게 되었어.

또한 그때 조선의 왕자인 소현세자와 봉림대군*은 청나라에 볼모로 잡혀 가기도 했어.

그 이후로 조선의 조정에서는 병자호란의 치욕을 씻고, 명나라의 권위를 되찾아야 한다는 의견이 모아졌지.

오만방자한 청나라를 쳐서 명나라의 원한을 갚아야 할 줄로 아뢰오!

*봉림대군 – 인조의 둘째 아들. 1645년 인조의 첫째 아들 소현세자가 죽자 세자에 책봉된 뒤 왕위에 올랐다.

특히 중국에 볼모로 잡혀 갔던 봉림대군이 왕위에 올라 효종이 되었을 때는 이러한 '북벌론(北伐論)'이 강하게 대두되었지.

청나라를 정벌하리라!

하지만 청나라는 국력을 정비함은 물론 세력 확장을 통해 그 위세가 점점 공고해져만 갔어.

반대로 조선은 도적들의 발생 등 국내 문제가 불거져 전쟁을 실행에 옮길 수 없었지.

국내 문제

조선의 국력으로 막강한 위세를 떨치던 청나라를 공격하는 건

에에잇~ 그래도 조선군의 자존심이 있지!

바위에 달걀 던지는 격이라고나 할까?

댕~

청나라의 심한 견제와, 북벌의 현실 가능성이 없다는 신하들의 중론으로

경고! 자꾸 그러면 또 쳐들어갈 것임. -청나라

이제 북벌을 포기 하심이….

청과의 전쟁 계획은 공론*에 불과하게 됐어.

北伐

그러다 보니 북벌론은 어떠한 정책이나 현실적인 변화 없이 이론으로만 남게 되었지.

《북벌 토론집》 -23-

중요한 것은 청나라에 대한 거부는 우리 스스로 고립되는 상황을 만든다는 거야.

조선

*공론 – 실속이 없는 빈 껍데기 논의.

병자호란 때 패했음에도 불구하고

항복! 항복!

조선은 청나라를 '오랑캐'의 나라, '야만족'의 나라라면서 무시하기만 했으니.

무식한 게 힘만 세가 지고~~!! 씩씩~

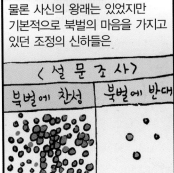
물론 사신의 왕래는 있었지만 기본적으로 북벌의 마음을 가지고 있던 조정의 신하들은

〈설문조사〉	
북벌에 찬성	북벌에 반대

청의 문물을 아주 우습게 보고 멸시했지.

오랑캐

물론 청나라는 여진족이 세운 나라였지만,

明나라 한족

清나라 여진족

명나라의 문물과 문화를 그대로 흡수하고 수용했기 때문에

청 태조 누르하치

명나라 한족의 문화를 적극 수용하여 발전시켜라!

그 문화는 발전적이고 진보적인 것이었어.

그런데도 조선은 여진족이 중화일 수 없다고 생각하며,

쓱쓱

문호를 닫고 거부했어.

조선

탕

중화사상이란 무엇일까?

중화사상(中華思想)이란, 중국이 자기 나라의 문화와 국토를 자랑스러워하며 다른 민족을 배척하는 사상을 말해.

여기서의 '중화(中華)'는 '세계의 중심이 되는 우수한 나라'이며, 다른 나라는 오랑캐로 여겨 천시한다는 생각을 담고 있어. 화이사상(華夷思想)이라고도 하지.

중화사상은 춘추전국시대부터 진(秦)·한(漢) 시대에 걸쳐 형성되었는데, 특히 한대(漢代)의 공양학(公羊學)에서 두드러졌어. 한족의 문화 전통을 지키겠다는 취지에서 불교를 배척하고 유교사상을 강화했는데, 이것이 바로 주자학(朱子學)이야.

나중에 여진족의 청나라가 건국되고 차츰 서양 문화가 중국 내로 유입되면서 서양 문화의 가치를 인식하게 되었고, 봉건왕조 체제가 붕괴하면서 이 중화사상은 약해지게 되었단다.

오히려 중국의 발전한 문화를 가지고 있는 것은 바로 조선이라는 소중화(小中華) 사상에 빠져 있었지.

명나라가 망한 지금, 중화의 전통을 계승한 것은 바로 우리 조선이다!

그런 외래 선진 문화를 거부하고 스스로 고립되기 시작한 지 100여 년이 지나자

100년

히잉

백성의 생활은 날로 궁핍하고 황폐해졌어.

당시 지배층은 이런 것에 아랑곳없이 현실과는 동떨어진 도덕 원리인

유학 논쟁에만 전념했지.

중(忠) 효(孝)

당시 조선의 유학은 중국을 능가하는 뛰어난 사상적 성장을 했어.

오~청출어람은 청어람이로세~

공자

하지만 실질적인 과학과 기술의 발전은 멈추었고, 오히려 점점 퇴보하고 있었던 거야.

결국 정치권은 민심과 괴리가 생겼고, 백성의 불신은 커져만 간 거지.

흥!

이러한 때 조선 영조(1724년 즉위), 정조(1776년 즉위) 두 임금은 조선의 부흥을 꾀했어.

특히 정조는 신분 차별을 없애고 당파의 구별 없이

당파 싸움은

망국의 지름길 이다!

서얼* 출신인 박제가를 등용하는 등 파격적인 인재등용 정책을 펼쳤던 임금이야.

선왕이신 영조의 뜻을 받들어

강력한 탕평책을 실시하라!

*서얼 - 양반의 자손 가운데 첩의 자식.

조선시대에는 서자가 과거 시험에 응시할 수 없었거든.

방 과거시험 실시

일시 : △△××
장소 : ○○○
응시자격 : 서자는 안 됨!

하지만 정조는 능력을 중심으로 서자 출신인 박제가를 중국 사신으로 발탁했으니,

주변 사람들로부터 낙하산 인사라는 시샘을 받을 수밖에 없었지.

이렇게 선출된 박제가가 중국에 몇 차례 다녀와서,

입국심사

반갑다 해~

폐쇄적인 조선에 대한 개혁 보고서인 《북학의》를 탄생시킨 거야.

우리가 청나라와 단절하고서는 기술의 발전을 이룰 수 없다!

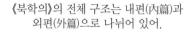

《북학의》의 전체 구조는 내편(內篇)과
외편(外篇)으로 나뉘어 있어.

內篇   外篇

北學議

내편은 수레, 배, 기와, 벽돌 등
다시 39개의 항목으로 나뉘어
문물을 소개하고 있어. 담요나
도장, 자와 문방구 물품까지
중국 문물과 우리나라의 것을
상세하게 나누어 비교하고 있지.

수레/배/성/벽돌/
기와/자기/대자리/가옥/
창문/돌층계/도로/
교량/목축/소/말/나귀/
안장/말구유/시장/상인/
은/돈/쇠/재목/여자 옷/
극장/중국어/통역/약/된장/
도장/담요/관보/종이/활/
총과 화살/자/문방구/
골동품과 고서화

그리고 외편에는 자신의 의견을
많이 담은 평론 형식의 글을 모아
놓았는데, 농업에 대한 장려책,
과거시험에 대한 개선안, 중국과
교류해야 한다는 주장 등 19개
항목으로 나누어 살피고 있어.

밭/거름/뽕나무와 과일/
농사와 누에치기/
이희경의 〈농기도〉 서문/
용미차에 대한 이희경의 설명/
과거제도에 대하여1/
과거제도에 대하여2/선비를
시험하는 정책/북학에 대한 변론1/
북학에 대한 변론2/관직에
대하여/봉급제도/나라의 재물/
중국과의 무역/군대에 대하여/
장례에 대하여/중국에 대한 존대/
병오년에 올리는 글

이 책에 소개된 여러 단편을 읽어 보면,
18세기 조선의 생활 모습과 중국의
생활 모습을 상상할 수 있어.

뿐만 아니라 역사적 사실에 그치지 않고,
조선의 농업, 상공업에 대한 개선안까지 내놓고 있어.
《북학의》에 담긴 주장들은 19세기부터 20세기까지 영향을
미칠 정도로 조선 근대사 발전에 많은 변화를 가져다 주었고,
기술 발전의 참고서 역할을 했다고 볼 수 있지.

그럼 《북학의》의 내용을 조금만 펼쳐 볼까?

조선시대는 근검절약하는 생활을 강조했기 때문에 소비는 억제되었고,

어허, 밥 한 숟가락에 한 번씩만 보라니까~!

풍요로운 생활은 부도덕한 것으로 보았어.

그거 명품이지?

아… 아니라니까….

그 당시는 정신적인 무장으로 풍요로울 수 있다는 유교사상이 뿌리 깊었기 때문에,

고금의 성현들 말씀을 읽고 또 읽으니

먹지 않아도 배가 부르구나!

꼬르륵~

도로나 교통수단 등의 기술은 무시되거나 폄하되고 있었지.

기술서

〈용도〉 말아서 벌레를 잡거나 라면받침으로 쓰시오.

〈조선〉

또한 자급자족의 농업 경제로 인해 문물의 교류가 이루어지지 않았어.

바꿔 먹을래?

싫거든~ 안 바꿔도 충분하거든~.

외국

그러니 어떤 마을에서 가뭄이나 흉년이 들면 그 마을 사람들은 어쩔 수 없이 굶어 죽을 수밖에 없었지.

밥 좀~

그런데도 정치권은

아~ 아~ 마이크 테스트!

이런 백성의 굶주림과 불편함에는 관심을 기울이지 않았어.

가뭄으로 고생이 많지만 더 근검절약하고 지조와 절개를 지켜야 합니다, 여러분!

이런 사회 분위기 속에서 젊은 청년 박제가가 다음과 같이 주장했지.

이글 이글

도저히 더는

두고 볼 수가 없다!

도로를 넓혀야 합니다. 넓힌 도로에 수레를 다니게 하여 문물을 각 지방에 보내야 하지요. 그래야 백성이 풍요로워질 수 있어요. 또한 소를 이용하여 농사를 지어야 수확물을 늘릴 수 있습니다.

나아가 누에를 과학적으로 길러서 실을 뽑아야 옷을 쉽게 만들 수 있습니다. 백성이 편안히 쉬고 잠을 자려면 벽돌로 집을 지어야 합니다. 우리가 무시하는 청나라도 모두 이렇게 하고 있습니다.

하지만 이 말을 의미 있게 듣는 사람이 얼마나 되었겠니?

멍멍

실제로 박제가는 중국에 다녀온 이후 29세부터 49세까지 20년에 걸쳐 중국 문물을 배워 수용하자는 내용의 상소문을 바치거나 책으로 내곤 했지만

그의 주장은 받아들여지지 않았어.

거 참, 소용없다니까 그러네~.

받지기가

지금 들어 보면 너무나도 당연한 것 같지만, 그 당시 사대부들이 듣기에는 급진적인 청년의 터무니없는 개혁안이었던 거야.

박제가는 중국 문물을 소개하는 수준에 그친 것이 아니라,

이런 것도 있답니다!

TV쇼 신기한 세상

도입할 필요가 있는 기술 몇 가지를 뽑아 우리나라에 적용시키자고 임금에게 건의했다는 걸 잊지 말아야 해.

전하, 이것들도….

그는 조선의 백성이 얼마나 가난하고 어려웠는지 너무나 잘 알고 있었기 때문에,

중국의 몇 가지 것을 배운다면 우리도 부자 나라가 될 수 있다고 믿었어.

백성의 풍요로운 생활을 위해 당시 양반들이 그렇게 싫어하고 무시했던 중국을 배우자고 주장할 수 있었던 바탕에는

중국을 배우자!

당시 실학자들의 실용주의와 애민정신이 깔려 있었다는 것을 이해해야 해.

實用 愛民

실학정신으로 만들어진 《북학의》는 그 이후 청나라 문물을 배우고 교류해야 한다고 주장하는 무리들을 주도했는데,

북학의

그래서 그들을 실학자 중에서도 '북학파' 라고 하지.

지금 《북학의》를 읽어보면 거기에 나오는 수레, 배, 농기구들은 모두 옛 물건 같고 낙후된 것처럼 보여.

하지만 조선시대로 돌아가 농민들이 어떻게 살았는지를 생각한다면

박제가의 《북학의》는 선진 문물과 기술의 도입을 주장한 개혁적인 보고서라 할 수 있지.

바람이 불려고 하면 솔개가 먼저 울어 알리고, 비가 내리려고 하면 개미가 먼저 봉우리를 만들어 내는 것처럼

조선 사회를 발전시켜 현대로 오기까지 《북학의》는 솔개나 개미와 같은 선구자 역할을 한 거야.

이처럼 개혁적이고 선진적인 내용을 담은 《북학의》지만

박제가의 개혁적 주장에는 중국어를 공용어로 사용하자는, 지나치게 과격한 내용도 있어.

그러나 200여 년이 지난 우리의 모습은 《북학의》에서 본받아야 한다는 그 모습을 그대로 닮고 있다는 것을 부정할 수 없어.

수레나 배를 통해 상공업을 부흥시키고

다양한 가축들로부터 이익을 얻고

튼튼한 벽돌로 건물을 짓고

외국과 문물을 교류하고 있잖아.

지금은 중국보다 우리나라가 물품 생산력으로 봤을 때 양적·질적으로 뛰어난 분야가 많지.

운동화고 장난감이고 옷이고 중국산이라고 하면 값싼 물건으로 인식하고 있는 요즘이야.

이렇게 우리가 중국보다 상업과 공업이 발전할 수 있었던 것은

MADE IN KOREA

MADE IN CHINA

조선시대 박제가 같은 선구자가 혁신적이고 실용적인 주장을 했기 때문이 아니었을까?

적을 이기기 위해서는 적을 알고 나를 알고, 취할 것은 취하자!

《북학의》를 대충 읽어보면, 사물을 나열한 사전 같기도 하고

레/배/성/벽돌/제 와/자기/대자리 창문/돌층계/도로 목축/소/말

조선시대 농사에 대해 자세히 기록하고 있어 무슨 말을 하는 것인지 잘 이해되지 않기도 해.

농사 책인가…?

북학의

지금은 농업이나 목축업이 드물기 때문에 그 분야의 내용이 낯설겠지? 농기구들도 전혀 모르겠고.

?

하지만 자세히 읽어 보면 조선 후기의 서민들이 어떤 옷을 입었고, 무엇을 먹었고, 어디에서 잤는지 등을 세세하게 다루고 있다는 것을 알 수 있어. 조선 후기 평민들의 생활상을 상세하게 엿볼 수 있는 책이란 것이지.

뿐만 아니라 청나라의 생활 모습까지도 면밀하게 살필 수 있는 고전이 되었어.

박제가는 평생에 걸쳐 관직에 있었던 사람이기 때문에,

평민들의 삶인 농업이나 목축, 건축에 대해 자세히 알 수 없었을 거야.

음머~

그런데도 이 책에는 수레 만드는 법, 말 키우는 법, 밭갈이 하는 법 등이 자세히 나와 있어.

어떻게 이렇게 실생활을 자세히 그려 낼 수 있었을까?

쌀독은…

바로 백성을 위해서, 조선을 풍요롭게 만들기 위해서 모르는 것을 부끄럽게 여기지 않고 배웠기 때문이야.

중국 관광을 한 것이 아니라 중국의 물건을 뜯어보며 관찰하고,

오~ 이건 무슨 천일까?

모르는 것은 중국 기술자를 찾아가 자세히 묻고,

……

직접 나가서 살피는 일들을 서슴지 않았기 때문에

이러한 책이 완성될 수 있었던 거야.

이달의 신간 〈北學議〉
방대한 자료수집과 저자가 직접 청나라 여기저기를 탐방하…

만약 여러분이 중국에 갔다 와서 기행문을 쓴다면 무엇을 쓸 것 같아?

대부분은 만리장성이나 어마어마한 규모의 자금성,

산과 계곡 등의 자연 명소를 소개하며 중국의 역사적 유물에 대한 찬사를 늘어놓기 쉽지.

하지만 박제가는 그러지 않았어.

오오~ 경치 굿!

중국 역사나 문물에 대한 예찬이 아니라는 거야.

눈요기 잘했으니

슬슬 본업에 충실해 볼까.

단순한 볼거리에 대한 이야기는 이 책에 한 줄도 없지.

연경까지 다녀와 놓고 관광 정보는 하나도 없는가?

우리나라와 비교해서 우리에게 없는 것들을 찾아낸 다음, 그것이 수레라면 어떤 구조로 이루어져 있고, 어떤 원리로, 어떻게 이용하는지 등을 자세히 살피고 연구했어.

그리고 임금에게 우리의 부족한 기술을 고치고 메우자고 비판과 개혁의 제안을 계속했어.

왜 이렇게 집요한가!

그래야 백성이 생활에 활용하며 편리함을 누릴 수 있고, 나아가 부국강병으로 가는 지름길이기 때문이옵니다!

그러므로 이 책에 대해 중국의 것을 무조건 예찬하는 '사대주의' 라고 비판하는 것은 맞지 않아.

청나라가 그리 좋으면 그곳에 가서 살지 그러나?

움...찔...

멋지고 큰 나라를 부러워하고 섬기는 것이 '사대주의' 라면

事大主義

조선 사대부에게 청나라는 그 대상이 될 수 없었어.

明 깍~ 清

대머리에 머리꼭지를 한 줄로 길게 땋은 변발을 하고,

헤어스타일이 이런 거지, 대머리는 아니거든~.

남자도 치마 같은 호복을 입는다고 우습게 여겼던 오랑캐 나라 '청' 이었거든.

아하하하핫 - 패션감각 하고는 참~

나이가 어리거나 신분이 낮은 종한테도 배울 것이 있으면 주저 말고 배워야 한다는 말처럼,

내일은 비가 오겠군.

아니, 자네 그걸 어찌 아나?

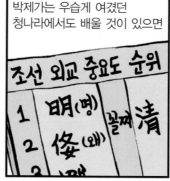

박제가는 우습게 여겼던 청나라에서도 배울 것이 있으면

조선 외교 중요도 순위
1 明(명)
2 倭(왜)
꼴찌 清

명분을 버리고 이익을 얻어 백성의 생활에 이로움을 주자는 뜻이었으니 말이야.

그것이 곧 실학의 참된 뜻이기도 하지!

박제가가 그 시대에 '북학'을 배우자고 했던 것은

지금 우리보다 미개하다고 생각하는 '아프리카'를 배우자는 주장과 비슷하다고나 할까?

지금도 어떤 사람이 아프리카에 갔다 와서는

아프리카 사람들은 더울 때 이런 지혜를 발휘한다는 둥 더울 때 옷은 이렇게 입어야 한다는 둥의 주장을 한다면,

그 사람을 '사대주의자'라 할 수 있을까?

그리고 그 사람의 이야기를 귀담아듣는 사람이 몇이나 될까?

오히려 비웃음 당하지는 않을까?

바로 박제가도 이렇게 비웃음 당할 각오로 《북학의》를 쓰고, 임금에게 이런 뜻을 몇 차례 강조하여 상소문을 올린 거야.

당대에는 비웃음을 당했을망정,

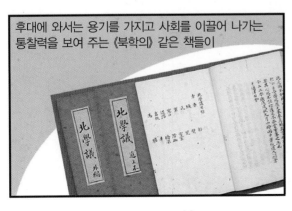

후대에 와서는 용기를 가지고 사회를 이끌어 나가는 통찰력을 보여 주는 《북학의》 같은 책들이

오랫동안 사랑받는 고전으로 남는 거야!

모두 모두 오시오! 선진 문물을 배웁시다!

제2장

박제가는 어떤 사람일까?

박제가는 1750년(영조 1년)에 서울에서 태어나고 자랐어.

으앵~

아버지는 부승지*를 지낸 박평이었지.

朴坪

박평에게는 아들과 부인이 있었으나,

*부승지副承旨 – 조선 세조 때에 둔 승정원의 정삼품 벼슬.

전주 이씨를 둘째 부인으로 맞이했어.

아, 부인이 싫증나서가 아니라니까 그러네….

됐거든요~.

조선시대는 축첩제도가 있어서 부인과 첩을 두는 양반들이 많았어.

일부다처(一夫多妻)

이렇게 박평의 둘째 부인에게서 낳은 아들이 박제가야.

양반의 본부인이 낳은 자식을 적자라 하고 첩의 자식을 서자라고 불렀는데,

박제가를 서출(庶出) 또는 서얼(庶孼)이라고도 부르는 것은 모두 서자 출신임을 나타내는 것이지.

조선시대의 신분제도는 매우 엄격했기 때문에

박제가가 서자로 태어난 것은 그의 성격 형성과 인생행로에 중요한 요인이 됐어.

그는 어릴 때부터 글을 좋아했어.

한 번 읽은 책은 반드시 세 번씩 베껴 썼고, 입에는 늘 붓을 물고 다녔을 정도였지.

변소에 가서는 허공에 글쓰기를 연습하거나,

모래바닥에 그림을 그렸다고 하니 어느 정도인지 짐작이 가지?

나중에 어렸을 때를 이렇게 회상하곤 했어.

내가 처음 글을 배운 것은 막 젖 뗐을 때였지.

두세 살 때 벌써 글자를 익혔다는 걸 보면 분명히 천재로서의 기질을 타고난 것이라고 봐야겠지?

차분하면서도 내성적인 성격의 그는 혼자서 가만히 앉아 책을 읽는 것을 유독 즐겼어.

그토록 책을 좋아해서 지식과 지혜는 아주 많았지만,

어린 시절은 불행했다고 해.

양반이기는 하지만 첩의 아들이라는 꼬리표가 늘 따라다녔기 때문에,

하고자 하는 바가 있어도 제도적으로 좌절되는 상황이 많았던 거야.

신분질서

조선의 신분제도상 양반과 서민의 차이도 뚜렷했지만, 같은 양반이라 하더라도 서자들은 많은 제약이 있었어.

양반 적자 서자
서민

아무리 출세의 꿈을 가지려 해도 불가능했던 거지.

공부를 아무리 잘하면 뭐해? 서자들은 과거시험의 응시 자격도 없는데!

아버지를 아버지라 부르지 못하고, 형을 형이라 부르지 못하는 서자에 대한 차별은 서러움 정도가 아니었어.

엉엉~ 차별없는 세상에서 살고 싶어요!

박제가

홍길동

서얼 양반 출신의 수줍고 내성적인 소년. 그게 바로 어린 시절의 박제가였어.

쳇, 서얼 주제에!

양반도 아니고 상놈도 아니고~

게다가 열한 살이 되던 해에 아버지가 돌아가시자 집안 형편은 더욱 어려워졌지.

아이고... 이제 우린 어찌 살라고~

동대문과 종로 사이의 이 집 저 집을 옮겨다니며 이사도 자주 해야 했고,

어머니, 또 이사 가요?

홀로 된 어머니와 살면서 간신히 목숨을 연명해 가는 어려운 생활이 시작된 거야.

우리 아기 배고프지?

아니에요.

불쌍한 어머니….

어머니는 쉬지 않고 밭을 일구고 삯바느질을 해서 열 손가락이 뭉툭하게 못이 박혀 있었지만, 생활은 나아지지 않았어.

매일 입던 옷은 10년 묵은 해어진 솜옷이었다고 하니,

야, 너랑 옷이랑 나이가 비슷하겠다. 하핫~.

휘잉

양반이라고는 해도 가난은 면할 수 없었던 거야.

당시 서민들의 집은 허리를 구부리고서야 들어갈 수 있는 움막에 지나지 않았고,

방 안에는 연기가 가득하고 벽은 바르지도 않고 살았지.

아고, 그을음아
연기가 장난이
아니네~

쿨록

바닥은 장판 대신 거적때기*를 까는 것이 고작이었고,

찍찍

*거적때기 – 짚이나 새끼를 두툼하게 엮어 자리처럼 만든 물건.

음식은 깨진 그릇에 담긴 밥과 소금 간조차 되지 않은 나물 반찬뿐이었으니,

그가 어린 시절 체험한 가난한 서민의 생활은

평생 동안 연구 대상이었던 '가난한 조선 벗어나기'의 큰 바탕이었다고 봐야 해.

반드시 백성의 가난을 끝내야만 한다!

조선을 부자 나라로 만들기 위한 방법이 제시된 《북학의》라는 위대한 고전이 탄생하는 데는 그가 체험한 어린 시절이 밑거름이 되었던 거야.

어린 시절의 가난

그의 어머니는 아들을 가난하게 보이지 않게 하기 위해 헌신적으로 뒷바라지한 분이셨어.

새벽닭이 울 때까지 쪼그려 앉아 남의 집 삯바느질을 하며

꼬끼오

아들을 공부시키면서 아들이 남들 앞에 기죽지 않게 하려고 부단히 노력했지.

위대한 인물 뒤에는 더 위대한 어머니가 있다.

〈격언〉

그래서 그를 가르친 스승이나 친구들은 이렇게 말할 정도였어.

쟤네 부잣집 아니었어?

어머니는 누더기 옷을 입고, 밥을 굶을망정 아들에게는 품팔이해서 사 온 곡식으로 끼니를 거르지 않게 키워 내신 거야.

그의 어머니는 어렵게 키운 아들이 당대에 이름을 떨치던 벼슬 높은 어른들과 교류하는 것을 보고 크게 기뻐하며 자랑스럽게 생각하셨대.

없는 살림이지만 아들을 찾아온 손님들에게는 정성을 다해 잘 대접했다고 하니,

아들에 대한 사랑이 너무도 깊었던 거야.

그는 열일곱 살 되던 해 충무공 이순신의 5대손인 이관상의 서녀(庶女)와 결혼을 했어.

서자는 서녀와 결혼하는 풍습이 있었는데,

적자 적녀
서자 서녀

자기 자신이 첩의 자녀가 아니라 해도 직계 중에 누구라도 서자면 서자 출신이라는 이름이 붙게 되니

족보
서자

서자는 서자끼리 결혼하는 게 일반적이었겠지?

결혼을 해도 나아질 게 없는 궁핍한 세월이었지만

북쪽으로 가면….

점

그때 그는 평생의 지인을 만나게 됐어.

귀인을 만나리라!

바로 종로의 백탑(白塔) 북쪽으로 이사 온 당대의 명문장가 연암 박지원이었지.

주인 계신가~.

박지원은 박제가보다 나이가 열세 살이나 위였지만,

박제가가 찾아가면 버선발로 뛰어나와 맞이했지.

옛 친구를 만난 것처럼 손을 잡고 반가워하며 자기 글을 모두 꺼내 읽어 주었다는군.

한번 읽어 보게!

또한 몸소 밥을 지어 주며 오래 살라고 술까지 부어 주면서 이런저런 세상 이야기를 나누었어.

그는 이렇게 연암 박지원을 찾아가 평생 동안 많은 사상과 학식을 배우게 되지.

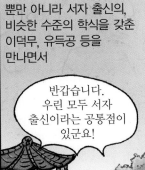

뿐만 아니라 서자 출신의, 비슷한 수준의 학식을 갖춘 이덕무, 유득공 등을 만나면서

반갑습니다. 우린 모두 서자 출신이라는 공통점이 있군요!

서로의 학식과 사상을 교류하게 돼.

그래서 이들 친구들과 박지원 등 조선 후기의 같은 경향을 갖는 학자들을 묶어

원각사에 우뚝한 백탑은 열네 층을 공중에 포개었네… -이덕무

서울의 백탑 근처에서 같이 공부했다고 해서 '백탑파' 라고도 불러.

백탑(白塔) : 탑골 공원의 원각사지 십층석탑 을 말해.

이 무렵부터 그는 박지원의 집 근처에 살면서

이사 왔습니다, 선생님!

이덕무, 유득공, 이서구 등과 어울리며 지냈어.

놀자~

잠깐만~

OK!

한 번 이들과 어울리면 열흘이고 스무 날이고 집으로 돌아올 줄 몰랐지.

근데 자네, 집에는 안 가나?

여기가 우리 집일세, 이 친구야. 하핫~

그가 얼마나 이들을 그리워하며 소중히 생각했는지,

여보, 마누라…

신혼 첫날밤을 지내자마자, 장인의 말을 빌려 타고 처가에서 빠져 나와 이들과 술을 마셨다는군.

하핫, 딱 한 시간만 놀 다 올게~

서방니~임!

형제라도 같은 기질을 갖지 않을 수 있고

부부라도 한 방을 쓰지 않을 수 있지만,

이 친구들은 하루라도 보지 않으면 마치 좌우의 손을 잃은 것 같다고 할 정도였으니

이보게들, 오늘은 《중용》에 대해 토론 해 보는 게 어때?

그것 좋지!

이들의 우애가 어느 정도인지 짐작할 수 있겠지?

우리는 3총사!

나이와 신분의 차이에도 불구하고 책을 좋아하던 친구들은

온라인으로 주문한 책이 막 도착했지!

오~~~!

끈끈한 우정으로 서로의 마음을 달래 주며 지냈어.

빌려 간 《논어》는 안 돌려 줄 셈이야!

윽~ 이 친구 쪼잔하기는~

이들에게 깨우침을 주면서 희망을 던져 준 스승 연암 박지원이 있었기에

오~ 자네들 왔는가?

선생님, 저희 왔습니다.

이들의 우정은 더욱 빛이 날 수 있었어.

서자 출신의 양반인 박제가, 유득공, 이덕무 등에게 따뜻한 손길과 우정으로 깨우침을 주고 이끌어 준 연암 박지원은

적자 출신이었음에도 조선 후기의 신분차별제도의 모순을 잘 알고 있었지.

지금의 양반들은 실속 없이 허울 좋은 이름만 내세우고 있지 않은가!

그들의 우정이 어느 정도였는지 한번 볼까?

박제가와 가장 절친했던 이덕무는 책을 워낙 좋아했으나 생활이 너무나 어려웠대.

텅텅!!

쌀독

가족들이 끼니를 계속 거르자, 이덕무는 그렇게 아끼던 《맹자》를 꺼내

시장에 내다 판 돈으로 쌀을 사와 끼니를 이어야 했대.

어찌 들으면 안쓰럽기도 하고 스스로 말하기에는 부끄러운 이야기일 수 있는데, 친구들에게 그 얘기를 솔직하게 터놓았어.

《맹자》를 팔아 배를 불리다니….

그래요? 그러면 나도 좌씨에게 술이나 한잔 얻어 먹어야겠습니다.

그러면서 유득공은 책장에서 《좌씨춘추》*를 뽑아 아이에게 술을 사 오라고 했지.

*《좌씨춘추》 – 중국 공자의 《춘추》를 노나라 좌구명이 해석한 책.

유득공은 책을 팔아 술을 사 먹을 정도로 가난하지는 않았지만 벗의 마음을 헤아려 그렇게 한 거야.

멋진 놈!

그 술을 나누어 먹으며 서로의 가슴의 한을 따뜻하게 데워 주었던 멋진 친구들이었지.

진정한 우정은 비가 올 때 그 비를 함께 맞는 것이다. 〈격언〉

가정은 어려워도 이덕무나 유득공 같은 평생의 친구들을 얻은 시기였으니, 박제가한테는 소중한 시간이었어.

모두가 양반의 서자 출신으로 사회적 소외감을 공유하고 있으면서도

신분제도

학문의 경지가 높아 서로 이야기를 나누면 하나도 막힐 데 없이 동질감을 느낄 수 있던 친구들이었지.

'천명지위성'이요
'솔성지위도'요
'수도지위교'니라~

하늘의 명을 따르는 것이 본성이요
본성을 따르는 것이 도요
도를 따르는 것이 교육이니라~

박제가와 유득공은 태어난 날도 비슷했대.

마치 쌍둥이 형제를 만난 기분이랄까?

특히 이덕무는 박제가보다 아홉 살이나 위였지만

형이라 부를까요?

그냥 친구로 지내세.

마음 터놓고 이야기하는 친구로서 가장 돈독했어.

<베프 목록>

1. 이덕무
(李德懋)

이덕무는 어린 시절부터 책을 좋아했지.

책을 끼고 있으면 시간 가는 줄 모르고 세월 가는 줄 몰라 '책밖에 모르는 바보'라고 불렸다는군.

하루에도 작은 방 안에서 책상을 세 번 옮겨 다니며 책을 읽는 것이 제 취미지요~.

작은 골방에 틀어박혀 아침에는 동쪽으로,

점심에는 남쪽으로,

저녁에는 서쪽으로 난 창문을 향하여 하루 종일 책을 읽었다고 해.

그래서 사방으로 창문이 나 있는 자기의 골방을 자랑삼아 말하곤 했지.

부럽지~.

겨울에 춥지 않나…?

이렇게 학식이 높기로 유명했던 이덕무였지만

그렇게 아는 게 많대~.

그래?

서자라는 이유 때문에 현실적 제한이 많았던 것은 박제가와 다름없었지.

그래서 둘은 형제 이상으로 가까워질 수 있었어.

말해 봐요. 내가 더 좋아요, 덕무 아주버님이 더 좋아요?

그야 당연히 더… 덕무 형….

이덕무는 박제가를 회상하기를

제가는 말이지요….

수줍어하고 내성적이어서 남에게는 별로 말이 없었는데 나와는 얘기를 잘했어요.

재잘 재잘 주저리 주저리

'비바람 들이치는 집에서 등불을 밝힌 채 있는 속 그대로 숨김없이 이야기하다 격해지면 서로 슬퍼하고 좋아지면 서로 기뻐하며 조용히 바라보고 웃었다.' 라고 했다는군.

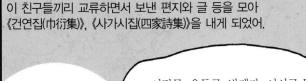

이 친구들끼리 교류하면서 보낸 편지와 글 등을 모아 《건연집(巾衍集)》, 《사가시집(四家詩集)》을 내게 되었어.

이덕무, 유득공, 박제가, 이서구 등 4명의 시를 모은 시집으로, 40여 편의 시가 실려 있어. 이들은 실학사상의 영향으로 답습과 진부*를 싫어하고 독창적이고 참신함을 추구했어.

이는 글뿐 아니라 서예와 그림 등 예술 전반에 걸쳐서 재주가 있었고 친구들 모두 같은 취향을 가지고 있었기 때문에 가능한 일이었지.

*진부 – 사상, 표현, 행동 등이 낡아서 새롭지 못함.

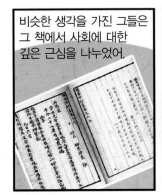

비슷한 생각을 가진 그들은 그 책에서 사회에 대한 깊은 근심을 나누었어.

이 책은 중국에도 전해져 나중에 박제가가 연경에 갔을 때

이 친구들을 사가(四家)라고 부르며 아는 척하는 사람들이 많았다고 해.

그래서 청나라 때 위인 사전에는 조선 사람 중 유일하게 박제가가 실려 있다고 해.

우리 중국 사람 아니다 해~.

중국의 유명한 학자 중에는 박제가에 대해 연구한 논문을 낸 사람도 있었다고 하니,

하오(#주)~ 하오(#주)~

건연집

예술성과 학식에 대한 중국에서의 그의 명성이 얼마나 높았는지 짐작할 만하지?

그러다가 박제가가 29세가 되던 1778년에는

속달 우편이오!

사은사 채제공을 따라 이덕무, 이종원 등과 청나라를 다녀올 수 있는 기회가 생겼어.

어명 사은사 채제공의 연행길을 수행하라!

그에게는 평생의 큰 뜻을 품게 해준 여행이었지.

젊은 시절의 여행은 평생의 자산이 된다고!

*사은사 – 조선시대 중국 명나라와 청나라에 보냈던 답례 사신.

그는 청나라에 가서 깜짝 놀랐어.

야만족의 나라라고 우습게만 보았는데,

뉴스 오늘 청나라에서 불량식품을 먹은 어린이가 쭛쭛 긴급

조선에서 들었던 청나라의 모습과는 완연히 다른 모습이었거든.

여인들은 하나같이 얼굴에 곱게 화장을 한 채,

머리에는 금장식에 꽃을 꽂고 있고,

몸에는 치렁하게 늘어진 비단옷을 걸치고 있는 거야.

오~ 이감촉!

38 북학의

이런 중국의 모습은 젊은 박제가의 눈을 번쩍 뜨이게 만들었어.

조선의 백성은 열 살까지 벌거숭이로 거리를 돌아다니고

버선은커녕 짚신이 너무 비싸 맨발로 걸어다니는 모습하고는 너무 딴판이로구나!

입어 봤자 누덕누덕 기워 입은 무명옷에 다 해어진 짚신을 겨우 신고 사는 백성과 청나라 백성을 비교하니, 울분이 터질 수밖에….

그래서 박제가는 중국이 잘 살고 풍요로울 수 있는 이유를 관찰하고,

모르는 부분은 책을 찾아보고 기술자에게 직접 물어보면서 열심히 배우려고 했어.

그래도 안 가르쳐 준다 해~.

그러고는 결론을 내렸지.

중국이 우리보다 잘 살 수 있는 것은 바로 기술과 기구의 제작 때문이다!

탁

그래서 중국에서 돌아오자마자 3개월 동안 경기도의 통진이라는 작은 마을에 머무르며

도인인가?

석 달간 한 번도 밖에 안 나오네….

중국에서 널리 사용하는 수레, 배, 농기구 등에 대해 세밀히 정리해 《북학의》 내편과 외편을 저술하게 된 거야.

탁

끝!

內篇

내편에는 생활의 도구에 대한 개선을 정리했고,

외편에서는 정치, 사회제도의 모순점과 개혁방안에 대한 의견을 제시했어.

外篇

연경에 다녀온 다음 해,

정조 5년
(1781년)

정조 임금은 국회 도서관 격인 '규장각'을 짓고

박제가, 이덕무, 유득공 등을 초대 검서관으로 임명했어.

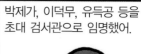

檢書官

'규장각 각신을 보좌하며 기록, 서책의 교정 등의 실무를 담당했던 관직'

서얼 출신의 양반을 이렇게 높은 벼슬에 임명한 것은 정조 때의 파격적인 인사 정책으로 평가하지.

수군 수군

불평 불만

서자를 차별했던 당시 시대상황을 생각한다면 이러한 정조의 정책은

적자

서자

조선

능력 위주의 인재등용이라는 의미가 있는 일이야.

합격!

비록 고위직은 아니지만, 박제가는 자신의 소견을 떳떳하게 제출하고 임금을 가까이서 접할 수 있는 기회를 얻은 거야.

규장각으로 가자.

여이~

그는 정조라는 임금을 만나는 행운이 있었기에

자신의 학식과 지혜를 만천하에 전할 수 있는 기회를 얻은 것이지.

그 뒤 13년 동안 규장각 내·외직에서 근무했는데,

당시 관리들의 폐단을 바로잡을 수 있는 개혁안을 임금에게 올리기도 했어.

그가 정조에게 올린 글 대부분은 '백성의 생활을 풍요롭게 만들 수 있는 방법'에 관한 것이었어.

그러기 위해서는 일하지 않고 공부만 하는 선비들을 없애야 하고,

신분 차별을 없애 상공업과 농업을 장려해야 한다는 것이었지.

그래야 국가가 부강해지고 국민의 생활이 부유해진다는 거야.

조선의 가장 시급한 문제가 '가난' 이라고 생각하다 보니

이를 해결하기 위해 쓴소리를 마다하지 않았지.

우리도 한번 잘 살아 봐야 하지 않겠습니까, 여러분!

그는 기회가 주어질 때마다 적극적이고 강한 어조로 한시바삐 개혁을 실천해야 한다고 주장했어.

그러기 위해서는

개혁 대상은 기득권을 누리는 양반 계층에 집중되었으므로

당연히 이들로부터 가해지는 집요한 공격을 피할 수가 없었지.

서얼 주제에!

후환이 두렵지도 않은가!

하지만 현명한 정조는 그를 아끼며 그의 의견을 귀담아들었어.

그는 그 후로도 연행사* 자격으로 세 번 더 연경에 다녀오게 되었어.

연행사(燕行使)

청나라 건륭제가 팔순절에 크게 연희를 열자 조선 대표단으로 다녀오기도 하고,

*연행사 – 조선 후기 청나라에 보낸 조선 사신의 총칭.
청나라의 도읍인 연경(북경)에 간 사신이란 의미로 연행사라 했다.

돌아오는 길에 왕의 특명으로 다시 청나라에 들어가게 되지. 조선의 첫째 왕자인 원자(뒤의 순조)의 탄생을 축하해 준 청나라 황제의 호의에 보답하기 위해서였어.

오, 또 왔는가~?

당시 그는 한낱 검서관에 지나지 않았지만, 그를 임시로 정3품 군기사정이라는 높은 벼슬에 임명해 사절단 대표로 청나라에 보낸 것이라고 해.

이 또한 정조의 파격적인 대우였지.

그는 또한 중국어에도 능통해 중국의 저명한 학자, 예술가들과도 교류를 나누었다고 해.

조선시대에 중국을 여행한 학자는 많았지만 그만큼 많은 명사와 친분을 쌓은 사람도 없었을 거야.

그래서 박제가는 중국의 것을 배우고, 그들과 학식을 공유하기 위해서는 반드시 중국어를 습득해야 한다고 주장했지.

중국어회화 30일 완성!

외국을 배우려면 언어를 알아야 합니다!

이것은 굉장히 충격적이고, 어찌 보면 비판의 대상이기도 하지만,

청나라의 말을 배우자고?

너나 배우세요!

그 목적은 나라를 부강하게 하기 위한 수단으로 이런저런 강경책을 제시한 것으로 봐야지.

다 나라를 위한 것이란 말이지!

휙 휙 읏~

그는 중국뿐 아니라 여러 나라를 아우르는 국제적인 시각을 두루 갖춘 인물이라 할 수 있어.

빙그~

친하게 지냈던 서얼 양반들은 일본 통신사 사절단에서 실무를 보던 신분이었기 때문에

일본에서의 조선 통신사 행렬

그에게 일본에 관한 자세한 정보를 알려 줬어.

일본은 요즘 벚꽃이 한창이네.

아, 그래?

이렇게 중국과 일본에 대해서 소상히 알면서 여진족, 위구르, 동남아 등에 대해서도 많은 정보와 지식을 쌓았어.

중국에 가서도 서양 의학서를 구하려고 애쓰는 등

책 좀~

그는 중국 문물을 받아들이자는 데 그치지 않고 세계 각국의 선진 문물을 수용하여 개방적 태도로

Open your mind!

조선의 문제를 해결하려 한 세계화 개혁론자로 봐야 해.

우리보다 더 나은 것이 있는데 어찌 받아들이기를 주저할쏘냐!

그는 시·그림·글씨에도 뛰어난 자질을 보였어.

청나라 학자들과의 교류를 통해 우리나라에 처음으로 한시의 대련형식(對聯形式)*을 들여왔어.

글씨도 잘 써서 조선 말기의 서풍**과 추사 김정희에게 영향을 주어 추사체의 형성에 선구적인 역할을 했지.

추사 김정희의 글씨야!

*대련형식 – 대구를 맞추어 두 구절씩 쓴 춘련. 이것을 입춘 날 집 안의 기둥이나 대문, 문설주 등에 붙인다.
**서풍 – 붓으로 글씨를 쓰는 방식.

이게 내 글씨라네. 어떤가? 괜찮았나? 하하~

그림은 간결한 필치와 맑고 엷은 채색에 운치와 교양이 짙게 풍기는 문인화풍의 산수 인물화와 생동감 넘치는 물고기 그림을 잘 그렸다고 해.

그는 시면 시, 그림이면 그림, 서예면 서예, 어느 것 하나 부족함이 없는 천재적인 예술가였지.

팔방미인이라고나 할까, 하하핫~.

*어락도

*목우도

*야치도

박제가의 예술세계는 감성적이고 감각적이며 때로는 자유분방하기도 했어.

활기차고 참신한 느낌이 넘쳐나면서도 감정적인 색조는 다소 어두웠지.

일찍 아버지를 여의고 난 뒤의 곤궁함과 서자라는 신분적 제약으로 인한 사회적 소외감이나 내적 갈등이 원인이었을까?

재주가 있어도 쓰이지 못하는 자의 울분이 예술로 승화되었다고 할까?

하지만 □의 예술세계는 탄식과 슬픔으로만 가득찬 것은 아니었다고 평가해.

비슷한 정서의 친구들과 교류하면서 응어리진 한을 풀어서일까? 단아하고 자유로운 기질이 풍기는 예술성을 보이지.

그의 글에는 언제나 개혁*에 대한 강한 의지가 들어 있었지.

改革

관념적인 것에 머무르지 않고 백성에게 구체적이고 직접적으로 도움을 줄 수 있는 개혁적인 방안을

이 연사~

들어 주는 이 없고, 칭찬해 주는 이 없어도 소신 있게 계속 말했던 거야.

텅~

꿍

*개혁 – 합법적 절차를 밟아 정치상 · 사회상의 묵은 체제를 고침.

당대의 권력을 주름잡던 사대부들을 향해 이렇게 외칠 수 있는 사람이 역사상 몇 명이나 되겠니?

선비(사대부)를 도태시켜야 합니다!

이들이 나라를 망하게 합니다!

그렇기 때문에 그를 공부만 아는 지식인이 아닌, 한 세기를 휘어잡은 개혁자이자 실천가로 봐야 할 것 같아.

뭐, 우릴 몰아내?

감히 서얼 주제에!

실천이 따라 주지 않으면 그 지식은 쓸모없는 것!

정조가 농업을 장려할 여러 방안을 신하들에게 얻으려 하자,

아니, 농사에 관심 있는 신하가 이다지도 없단 말이냐!

그는 영평이라는 마을의 현령으로 부임해 있으면서 《북학의》의 내용을 요약해 정조에게 상소문을 올리는데,

그것을 〈소진본북학의〉라고 해.

疏進本北學議

《북학의》의 개혁안을 다시 정리하고, 네 차례에 걸쳐 연경에 다녀온 경험을 종합해 백성을 잘살 수 있게 해야 한다는 간절한 소망으로 임금에게 상소문을 올린 거지.

요약본 이옵니다, 전하.

요즘 컨디션이 좋지 않은데… 내일 읽어 보면 안 될까?

하지만 정조의 갑작스러운 죽음으로

농업을 부흥시키고 백성을 잘살게 하려던 정조의 개혁정치는 무너져 버렸지.

정조의 원인 모를 죽음으로 박제가의 개혁론은 힘을 잃었고,

당시 젊은 실학자들의 주장도 힘을 발휘할 수 없게 되는 조선 역사의 위기가 시작되었어.

정조 이후 어린 순조가 왕위에 오르자,

왕권이 흔들리고, 억눌려 있던 당파 싸움이 본격적으로 벌어지게 되었어.

바로 그때, 청나라 문물의 수용을 적극 주장하던 무리들은 괴수로 지목당하고,

정통 유학이 아닌 학문은 모두 배척하는 시대가 열리게 되었지.

*신유박해 – 1801년(순조 1년)에 발생한 천주교 박해 사건. 당시 집권당파였던 벽파계의 정순왕후가 시파계 남인과 남인 중심의 실학자들을 제거하기 위해 일으킨 숙청 사건.

박제가의 사돈인 윤가기가 옥살이를 하게 되자

박제가는 그와 연루되어 의금부에 끌려 가 혹독한 고문을 받았어.

혹독한 고문에도 그는 거침없는 성격으로 굴하지 않는 모습을 보여 주었지.

밥 먹고 하자, 이놈들아!

북학의

주변의 많은 신하들이 이런 박제가를 처형시켜야 한다고 주장했지만,

대왕대비의 구원으로 국경지대로 귀양을 떠나게 되어,

목숨만은 보존할 수 있었지.

유배 생활 3년 만에 석방되지만,

이듬해 4월, 박제가는 56세의 이른 나이로 죽어 경기도 광주에 묻혔어.

박제가의 든든한 버팀목이자 능력을 인정해 주었던 정조가 죽자,

박제가의 개혁안은 빛을 발하지 못한 채 사람들 마음속에 묻히고 만 것이지.

박제가는 조선을 발전시킬 수 있는 자율적인 개혁안으로 백성을 풍요롭게 살게 하고, 중국이나 일본과 문물을 교류하려고 했지만,

개혁의 기회를 만나지 못하고 100여 년이 지난 후에야 서양의 침략으로 조선의 문은 강제로 열렸지.

시대가 인재를 알아보지 못해 개혁을 실천하지 못한, 역사의 안타까운 일이 아닐 수 없어.

나도 아쉽다네.

제3장 부국강병을
위한 방법
- 부자 나라 만들기

지금 우리나라는 무역 규모로는 세계 10위권,
전체 경제 규모(GDP)도 10위권, 1인당 국민소득으로는 세계 30위권
안에 드는 부유한 나라로 발돋움해 있지.

특히 과학 분야에선 IT산업, 조선공업,
휴대전화 산업, D램 반도체 모두 세계 1위래.

자동차 세계 5위, 철강 세계 6위,
생명공학 세계 3~4위권이라는데
어때? 자랑스럽지 않니?

덕분에 우리나라 사람들은
의식주도 풍족하게 되었어.

하지만 이런
풍요로운 생활을
하게 된 건 불과
몇십 년밖에
안 돼.

새마을운동, 국토개발, 영농확대, 기술개발 등의 노력을 꾸준히 해왔기 때문에 이루어진 것이라고 봐야 해.

많은 땀방울 뒤에 거둔 열매라고 할 수 있지.

불과 200년 전만 해도 우리나라 백성은 끼니를 굶고 옷은 헐벗은 상태로 지낼 수밖에 없었다고 해.

지금으로서는 잘 믿기지 않는 일이지?

그때 박제가는 시대의 가난에 대해 고심하고 그 해결책을 내놓았는데, 한번 들어 볼까?

그날도 사람들은 모여서, 박제가의 이야기를 듣고 있었어.

어찌해야 재물을 모을 수 있을까요?

재물을 유리하게 잘 다스리는 사람은, 위로는 하늘의 때를 잃지 않고

아래로는 지리적 이점을 놓치지 않으며, 가운데로는 사람의 할 일을 잃지 않는 법이지.

재물을 편리하게 사용하지 못하여 남들이 하루에 할 일을 자신은 한 달 두 달 걸려 한다면 이것은 하늘의 때를 놓치는 것이고,

밭 갈고 씨 뿌리는 방법이 잘못되어 비용은 많이 들었으나 수확이 적다면 이것은 지리적 이점을 놓치는 거지. 상인들이 교역은 하지 않고 놀고 먹는 자들이 날로 늘어난다면 이것은 사람의 할 일을 잃은 것이지. 우리가 이상 세 가지 조건을 모두 잃은 것은 배우지 않았기 때문이야.

북학의

우리나라가 태평성대를 누린 지가 100여 년이 되었잖아요?

외국을 정벌한 일도 없고, 백성이 사치를 좋아하는 것도 아닌데 나라의 빈곤이 갈수록 심해지니 도대체 그 이유가 무엇이란 말입니까?

꾸덕

꾸덕

나는 그 이유에 대해서 이렇게 생각하네.

남들은 곡식을 세 줄로 심을 때 우리는 두 줄로 심지 않나? 그렇게 하면 1천 리의 땅을 600리로 만드는 셈이야.

남들은 농사를 지어 하루에 50~60섬을 거둔다면 우리는 20섬을 거두니, 그럴 경우 600리의 땅을 다시 200리로 만든 셈이지.

남들은 곡식 중 5퍼센트를 파종하는 데 쓴다면 우리는 10퍼센트를 쓰지 않는가?

그러면 1년의 종자를 그냥 땅에 버리는 셈이지.

우수수

사정이 이런 데다가 수레, 목축, 가옥 등의 쓸모 있는 사용법을 무시하고 연구하지 않으니 원.

이런 측면을 전국적으로 계산하면

엄청난 이익을 잃는 셈이지.

현재의 토지만을 가지고 계산해도 이런 정도인데 만약 그것이 100년 동안 이어진다고 생각해 보게.

잃는 것이 얼마나 될지 다 헤아릴 수가 없을 정도네.

지리적 이점을 잃고, 사람의 할 일을 잃는 상황이므로 비록 1천 리가 되는 지방이라도 실상은 100리에 지나지 않지.

그러니 신라가 지금의 조선보다 100배나 부자였다는 사실을 이상하게 생각할 게 없어.

오~ 과연 그렇군요!

시원시원하긴 한데 뭔가 찜찜하지?

딱히 해결책도 없이 불평 불만만 하는 게 아닐까?

그럼 선생님은 해결책이 있다고 보십니까?

이유가 있으면 해결책도 있는 법!

지금이라도 하루 속히 경륜* 있고 재능과 기술을 가진 선비를 선발해 한 해에 10명씩 중국 사신으로 보내는 거야.

의주

북경

한양

*경륜 – 포부를 가지고 일을 조직적으로 계획함.

중국에 가서 중국 문화를 배우되, 어떤 경우에는 그들의 물건을 사들이기도 하고,

오!

그들의 기예를 전수받기도 하여,

기예

그 법을 우리나라에 전파시켜야 하네.

그리고 특별한 기관을 설치해 백성을 교육시키고,

생활박람회

물자를 장만해 그 기예를 시험해 봐야 하지.

팔도 모내기 경진대회

그리고 전수받은 법의 중요성과 성취한 공적의 허실을 관찰해 그것을 근거로 상을 주거나 벌을 내리면 되네.

〈상장〉
위 사람은 새로운 농사법을 보급함에

그런데 선생님 말씀처럼 그것이 그리 쉽게 성공할까요?

한 사람에게 세 번 중국에 들어갈 수 있는 기회를 주되,

세 번씩이나 들어가서도 아무 효과도 발휘하지 못한 사람은 쫓아 버리고 다른 사람으로 선발해야 하네.

이런 방법을 채택한다면 10년 안에 중국의 기술을 모두 습득할 수 있을 것이요.

그렇게 한다면 비로소 1천 리 땅을 1만 리의 땅으로 탈바꿈시킬 수 있을 것이요,

3~4년에 얻을 곡식을 1년 안에 얻을 수 있을 것이야.

이렇게 하면야 재물이 부족하거나 국가의 재력이 넉넉하지 않을 수 없지.

그런 다음에 사람마다 비단옷을 입고 집집마다 금으로 벽을 휘황찬란하게 꾸미는 등 백성과 더불어 즐길 문화를 생각할 수 있지. 백성이 사치할 수 있게 만드는 것이 나라님이 할 일인 거야.

그런데 지금 우리나라가 전쟁을 치를 수 있을까요? 조정에서는 청나라와 전쟁을 해야 한다고 시끄럽지만 우리네는 전쟁은 고사하고, 하루 끼니 걱정으로 매일이 전쟁 같은데 말이죠.

나라의 병력을 키우는 것은 중요한 문제라네.

하지만 군대는 반드시 백성의 일상생활 속에서 운영되어야만 전쟁 준비를 착실하게 할 수 있고 비용도 적게 드는 법이지.

네? 그럼 전쟁 준비를 계속해야 한단 말씀이신가요?

아닐세. 수레 자체가 무기는 아니지만, 수레를 사용하면 군수물자를 편리하게 수송할 수가 있네.

벽돌 또한 그 자체가 무기는 아니지만, 벽돌을 사용하면 만백성의 안전을 위한 성곽을 제대로 구비할 수 있지.

장인들이 가진 온갖 기술과 예능, 목축 자체가 무기는 아니지만, 기예를 예리하게 정비하지 않는다면 군사활동을 전개할 방법이 없다는 얘기네.

따라서 군대에서 적의 동태를 살피고

창과 방패를 들고 서 있는 것이나

앉았다 일어섰다 하며 치고 찌르기를 훈련하는 것은

군사활동의 꼬리에 해당하는 것이지.

사실은 천지 안의 재능 있는 학자를 얻어 편리하게 사용할 수 있는 장비를 마련하는 것이 군사활동의 근본이야.

우리나라 사람들은 공리공담*에는 유능하면서도 실제적인 사무에는 무능하고, 눈앞의 일을 계획하는 데에는 수고를 많이 하면서도 전체적인 큰 문제에 대해서는 어둡기만 하지.

*공리공담 – 아무 소용이 없는 헛된 말.

비록 고을마다 장정을 조사하기에 바쁘고, 병졸을 훈련시키느라 고생하지만,

그런 일은 나라 안의 화약이나 축낼 뿐이야.

중국을 섬기고 이웃 일본과 사귀기 위해 사신 행렬이 이어지기는 하나,

다른 나라의 훌륭한 법을 한 가지라도 배워 오려는 사람이 하나도 없어.

오히려 저들을 향해 왜놈이니 되놈이니 하며 비웃고 있을 뿐이지.

임진왜란(1592년) 때 일본에게 한 번 패하고, 그 뒤 다시 병자호란 때 청나라에게 남한산성을 함락 당한 이후 9명의 임금이 바뀌었음에도

청나라에게 굴욕적 항복을 한 부끄러움을 지금에 이르도록 갚지 못하고 있지 않은가?

그러니 이것은 이상할 것도 없지.

맞아요, 모두들 말로만 북벌을 떠들어 대는 걸요!

부국강병을 위한 방법 **55**

지난번 제가 서울에 있는 군대에 들어가 봤는데요,

적군으로 분장한 군사들은 모두 허약한 사람들뿐이었어요. 적이 쉽게 잡혀 버리니 경박하고 가소롭기 짝이 없었지요.

어찌나 아이들 장난 같은지 이렇게 해서야 전쟁을 준비할 수나 있는 건지 아리송하더라고요.

맞네. 현재 우리나라 군사제도는 '번상' 이라고 해서

番上

시골에서 장정을 뽑아 서울로 군사훈련을 보내는 법이 있지? 자네도 그렇게 서울에 가 봤나 보군.

우리나라의 병법 자체가 좋지 않은 것은 아니야.

그러나 상대편의 칼은 반드시 물건을 자르는 데 비해 우리의 칼은 쉽게 무뎌지고,

상대편 갑옷은 뚫리지 않는 데 비해 우리 갑옷은 쉽게 구멍이 나지.

이것은 철을 잘 단련하지 못한 결과라네.

상대편 담과 벽은 모두 견고하지만 우리의 성곽은 쉽게 무너져 내리니

이것은 벽돌을 사용하지 않기 때문이야.

상대편 활은 비에 젖어도 손상되지 않지만 우리의 활은 실수로 불에 쪼이기만 해도 사용할 수 없어. 이것은 활을 잘못 만든 결과이지.

56 북학의

적들은 한창 말을 달리고 수레를 타고서 체력과 사기를 비축하고 있건만

우리는 걸어서 가느라 다리 힘이 빠진 데다가

무거운 짐을 지고 있으므로 전투를 수행할 수가 없는 격이지.

이런 처지는 다른 분야에서도 다를 게 없어. 만약 비상사태가 발생해

평소의 100배가 넘는 힘을 들인다 하더라도 사태 해결에 아무런 도움이 되지 못하지. 그것은 미리 준비하지 않은 실책에 따른 결과라고 봐야 해.

그래도 우리나라 백성은 모두 비상사태 때 군사로 동원될 수 있도록 훈련받고 있는데, 이 정도면 걱정 없지 않나요?

일반적으로 군사는 소수의 정예병을 중시해야 할 뿐,

병사의 수가 많은 것만을 힘쓸 필요가 없어.

현재 지방의 수령은 장부에 올라 있는 장정의 숫자조차 파악하지 못하고 있어.

설사 파악한다 하더라도 어떤 사람은 세력 있는 집안의 노비로 둔갑해 있기도 하고, 어떤 사람은 지방 유지의 집 안에 숨어 지내기도 하지.

수령은 세력가나 지방 유지가 두렵기도 하고 꺼려지기도 해 숨은 자들을 조사하지 못하네.

그때그때 넘어가면서 그들을 잡아 오지 못하고, 미봉책*으로 대신 다른 사람을 충원해 훈련 기일에 대어 보내니 얼마나 한심한 일인가?

*미봉책 – 눈가림만 하는 일시적인 계책.

그러고는 발꿈치를 들고 훈련 날짜가 흘러가기만을 고대하면서 고을 원님 자리를 잃지 않는 것만을 큰 다행으로 여기고 있지 않은가?

야잇~

그러므로 장부가 아무리 잘 갖추어져 있다 하더라도 동원된 인원의 진실 여부는 알 수가 없지.

하~품

어허 이 사람이~ 숫자가 중요한 게 아니라고 자기 입으로 말하지 않았나!

또 동원된 사람 중에서 전투에 참여할 만한 병졸의 수는 10명 중 2~3명도 되지 않아.

툭

피죽밖에 못 먹어서 기운이….

특히 투구나 전립*, 무기들을 완비하고 있는 사람은 찾아보기가 어렵지.

이러한 병졸은 그 수가 100만 명이 되더라도 반드시 전쟁에 패한다는 사실을 쉽게 예상할 수 있지 않겠나?

오합지졸

*전립 – 조선시대에 무관이 쓰던 모자의 일종.

그럼 어찌해야 병력을 기를 수 있을까요?

와작~

내가 중국에 갔을 때 농가의 호미를 살펴보니, 서서 사용하는 호미인 '입서'라는 거였네.

그 칼날은 대단히 예리했지.

집에서 기르는 말은 10필 이하로 내려가지 않았으므로 다른 사람의 말을 빌릴 필요가 없었어.

그들이 모두 자기 소유의 말을 타고, 가지고 있던 호미를 잡고 나선다면

우리 군사는 그들을 보자마자 그대로 무너질 것이야.

현재의 여건을 감안해 계획해 보면, 차라리 서둘러 수레를 운행시키고 벽돌을 만들며

목축을 장려하고 각 고을에서 활쏘기를 권장하며

모든 장인들이 기술을 발휘하도록 감독하는 것이 좋은 방법이야.

그렇게 한 다음 국가의 병사 수를 감원하고 그들에게 월급을 주고 세금을 면제해 준다면

전에 도망갔던 사람들이 반드시 돌아올 것이고, 숨어 있던 사람들이 반드시 병사가 되기를 자원할 거란 얘기야.

과거에 군사 10명을 동원했다면 지금은 그 가운데 1명의 군사만 골라도 정예병 7~8만 명을 얻을 수 있네.

비록 갑작스럽게 우리의 의지를 펼칠 수야 없겠지만 우리나라를 수비하는 데는 충분할 것이야.

10명 중 9명을 감원하고도 군대의 힘은 현재의 100배가 될 것이니

재물을 낭비하지 않고도 효과를 볼 수가 있지.

정말 명료하게 맞아떨어지는군요, 선생님!

감동받았어요!

백성의 생활에 도움을 주면서도 나라의 힘까지 세질 수 있겠어요!

그런 시대가 어서 빨리 왔으면 좋겠어요!

낄낄

제4장 중국을 배우자고 하니 거짓말쟁이가 되는군

박제가가 《북학의》를 쓴 가장 큰 이유가 바로 중국을 배우자는 뜻이었잖아. 도대체 중국을 왜 배워야 하는지, 좀 더 자세히 들어 볼까?

선생님, 저희 왔습니다.

어서들 오게. 마침 요리 중이어서 말야!

중국에도 곡식이 있나요?

중국에는 학문이라고 할 만한 게 없죠?

중국의 문장 중에 쓸 만한 게 있나요?

허허, 하나씩 물어보게. 자네들의 질문을 들어 보니 중국에는 쓸 만한 것이 하나도 없어야겠군.

네? 그럼 저희 생각이 맞군요. 선생님께서도 그렇게 생각하시죠?

허허. 끝까지 들어 보게. 중국에 쓸 만한 게 없는 것이 아니라, 중국을 배울 만한 사람이 우리나라에 거의 없다고 말하고 싶네.

예? 그게 무슨 말씀이세요?

우리나라 선비들의 학식이 그 정도밖에 안 된다고요?

그럼 선생님은 중국의 대학자를 직접 만나셨어요?

중국의 천하는 매우 넓다네. 그런 곳에 무엇이 없겠는가?

내가 갔다 온 곳은 중국의 한 모퉁이에 불과하고, 내가 만난 사람은 문학하는 선비 몇 명에 불과할 뿐 도를 전하는 큰 학자를 본 것은 아니지.

그렇다 하더라도 배울 만한 선비가 없을 것이라는 말을 감히 해서는 안 되네.

요즘 선비들은 수많은 책을 다 읽지도 않고, 드넓은 땅을 다 밟아 보지도 않았으면서

학문과 문장이 모두 볼 게 없어!

이렇게 단언해 버리지.

그리하여 천하의 모든 것을 싸잡아서 불신해 버리지. 나는 오늘날 사람들이 도대체 무엇을 믿고 저러는지를 모르겠어.

뭘 믿긴···

날 믿는 거지···

그럼 선생님도 중국에서 좋은 것을 보지 못하셨단 얘기군요?

그런 게 아니네. 중국의 책은 지극히 많은데 어찌 그걸 모두 읽을 수 있겠는가?

따라서 중국의 서적을 읽지 않고 거부하려는 것은 우리 스스로를 우물 안 개구리로 가두는 것이지. 중국을 전부 오랑캐라고 매도하고 무시하는 것은 자신을 속이는 짓인 게야.

개굴~

중국은 명나라 이후 많이 변질되어, 옛날의 좋은 것은 찾아볼 수 없다고 들었는데요?

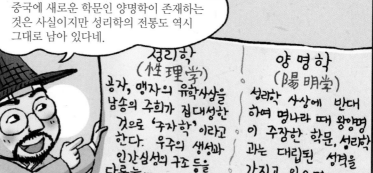

중국에 새로운 학문인 양명학이 존재하는 것은 사실이지만 성리학의 전통도 역시 그대로 남아 있다네.

성리학(性理學)
공자, 맹자의 유학사상을 남송의 주희가 집대성한 것으로 '주자학'이라고 한다. 우주의 생성과 인간심성의 구조 등을 다루는…

양명학(陽明学)
성리학 사상에 반대하여 명나라 때 왕양명이 주장한 학문, 성리학과는 대립된 성격을 가지고 있으며…

우리나라는 사람마다 공자를 말하고 있어 이단의 사상이라곤 전혀 없지.

공자를 아나?

당근이쥐!

우리나라에 감히 다른 학설을 주장하려는 사대부를 눈 씻고 찾아봐도 없는 것이 과연 좋은 일일까?

이단이 없다는 것은 그들이 추구하는 목적이 한 가지에 집약되어 있기 때문이네.

입신양명

우리나라는 사람들을 과거시험으로만 몰아 가고, 풍습으로 옴짝달싹 못하게 묶어 놓고 있지.

풍습

과거

그것을 따르지 않는 사람은 몸 붙일 곳이 없고, 나아가서는 그들의 자손 또한 보전할 수가 없어.

낙오자!

이것이 바로 규모가 큰 중국보다 우리나라가 못 사는 이유라네.

어휴~ 어려운 이야기만 하시는군요. 딴 이야기는 말고, 중국의 재미있는 풍습이나 얘기해 주세요!

자네는 중국의 비단을 보지 못했나?

꽃과 새와 용의 무늬가 번쩍번쩍 살아 있는 듯하여 볼 때마다 형형색색(形形色色) 서로 다른 모양으로 바뀐다네.

어찌 자꾸 말도 안 되는 이야기만 하시나요? 중국은 오랑캐 놈들 땅인데, 어찌 그리 변화할 수 있습니까!

중국에 갔다 오더니 매수를 당했나?

어찌 오랑캐 편만 들고 제대로 못 보시지?

가자, 가!

앞으로 우리나라의 학문을 이끌고, 백성을 다스릴 사람들인데도 완고함이 이런 지경이니, 이 나라의 문화가 크게 발전하지 못하는 현실이 이상할 것도 없지.

여보게, 뭘 그리 실망하고 있나?

요즘 사람들은 아교로 풀칠하고 까맣게 옻칠을 한 색안경을 끼고 있는 것 같아.

그는 친구 이덕무가 찾아오자 자신의 심정을 털어놓았지.

아무리 노력해도 이를 떼어 낼 수가 없지. 학문에는 학문의 색안경을, 문장에는 문장의 색안경이 단단하게 붙어 있단 말이야. 이들의 색안경을 벗길 수 있어야 하는데….

싫어! 싫단 말야!

자네는 내 마음을 알지? 큰 문제는 그만두고 수레부터 말을 꺼내 보자고.

혹시 김치 없나? 고구마엔 신김치가 짱인데…

수레를 사용해야 한다고 했더니 우리나라는 산이 험하고 물이 가로막혀 수레를 사용할 수 없다고 말하더군. 그러니 무슨 발전이 있겠나?

우리나라 백성의 우매함은 한두 가지가 아니니. 서양인은 아예 괴상한 부류로 취급하더군.

내 들으니, 서양에서는 사람의 검은 눈동자를 즙으로 갈아서 그림을 그린다고 하더군. 하하~! 어처구니없어서….

되놈은 변발을 할 때 부모가 살아 있으면 하나로 땋고, 죽었으면 2개로 땋기도 한다는 얘기를 들어 본 적이 없나? 그뿐인가? 황제가 백성의 성씨를 결정해 준다는 소문도 있더군. 책을 흙판으로 찍는다는 소문도 퍼져 있고. 이런 말도 안 되는 소문이 너무 난무하여 낱낱이 들어 말할 수가 없을 정도네.

하하하! 나도 들어 본 적 있네. 이런 허무맹랑한 소문은 누가 보고 와서 퍼뜨린 것인지, 원. 아주 코미디에 가깝더군.

매우 친해서 나를 신뢰하는 사람이라도 이 문제만큼은 나를 믿지 않고,

떠도는 소문을 믿어 버리지. 그들이 나를 믿지 못하고 다른 사람의 말을 믿는 이유를 내 알고 있지.

그 이유를 안다고? 하하! 그래, 뭐라고 생각하는가?

지금 우리나라 사람들은 '오랑캐'라는 이유 하나로 천하의 모든 것을 무시하고 있지 않은가?

그런데 오직 나만이 '중국의 풍속은 이래서 너무나 좋아.'라고 말하지. 나의 말은 그들의 기대와는 너무나 다르기에 그들이 나를 믿지 않는 거야.

그럴 수 있지, 그럴 수 있어! 하하!

어허, 이 친구가 진짜라도 그러네!

이러한 내 생각을 무엇으로 입증해 보일까? 음… 시험 삼아 중국의 학자 중에도 퇴계 이황 선생 같은 사람도 있고, 명필가 중에는 한석봉보다 뛰어난 사람이 있다고 말해 볼까?

그러면 사람들은 발끈 성을 내고 얼굴빛을 바꾸면서 대뜸 '어찌 그럴 수가 있겠소?' 라고 말할걸?

심한 경우에는 그런 나에게 벌을 주려 할 거야.

음… 그건 일리 있는 말이야. 자네 심정도 이해는 가네.

내가 사람들에게 내 눈으로 직접 확인하고 왔다고 얘기한 적이 있었네.

그랬더니 그들은 끝내 석연치 못한 표정을 지으며 말하기를, 아무개 사신은 다르게 말했다는 게야.

그래서 '자네는 그 아무개 사신과 친한가, 나랑 더 친한가?' 라고 했더니,

'그와 친분이 깊지는 않지만 그가 거짓말했을 리 없네.' 라고 하더군.

그 앞에서 내가 어떤 말을 할 수 있겠나? 결국 '그렇다면 내가 거짓말을 했구려.' 라고 밖에.

자네 말이 맞네. 인(仁)을 추구하는 사람은 모든 것을 인의 관점에서 판단하고, 지(智)를 추구하는 사람은 모든 것을 지의 관점에서 판단한다고 하지 않나?

"제 눈에 안경이라"

이제 나를 비방하는 사람이 제법 많다네. 내가 이야기를 하면 할수록 거짓말쟁이가 되어 버리는 세상이니, 어떻게 처신을 해야 할지 조심스럽기만 하네.

그래, 어쩌겠나… 아직 우리의 목소리를 받아 줄 만한 세상이 아니니 말일세….

두 사람은 오래도록 시간을 나누며 마음의 응어리를 풀었어.

선생님, 한시를 잘 지으려면 무슨 책으로 공부해야 할까요?

중국의 금나라, 송나라, 원나라, 명나라 등의 시를 모범으로 삼아 배운 사람이 최상의 시인이 되고, 당나라의 시를 배운 사람이 그 다음 수준의 작가가 되고, 두보의 시를 배운 사람이 최하 수준의 작가가 된다고 할 수 있지.

네? 두보의 시라면 최고로 알아주는데, 어찌 그런 말씀을 하시나요?

아니, 모범으로 삼아 배운 시의 수준이 높으면 높을수록 시인의 수준은 도리어 낮아진다는 말씀인가요?

두보를 배우는 사람은 두보의 존재만 알 뿐, 다른 작가에 대해서는 보지도 않고 업신여긴다네. 그래서 시를 쓰는 그의 솜씨는 갈수록 졸렬해지지.

1등만 알면 나머지는 볼 필요 없지, 뭐~

당나라 시를 배우는 사람들의 폐단도 마찬가지야.

쯧쯧~ 뭘 모르는 친구구먼.

그래도 두보를 배우는 사람보다는 다소 나은데, 두보 이외의 많은 시인들 이름이 가슴속에 도사리고 있기 때문이지. 그로 인해 두보를 배우는 사람들을 능가하고자 애쓰지 않아도 저절로 능가하게 되는 것이야.

이 정도는 섭렵해야 시를 논할 수 있지~.

오, 과연 그렇군요~

이백 두보 왕유 이하

이를 통해 볼 때 중국의 금, 송, 원, 명 때의 시를 모범으로 삼아 배운 시인들의 시에 대한 안목은 이들보다 한결 나을 것이야.

金 宋 元 明 탁-

더구나 두루 수많은 책을 공부한 바탕 위에 진실한 성정으로 시적 재능을 발휘한 사람이라면 더 말할 나위가 없지.

뭐, 요 정도밖에 못 읽었습니다.

우수수

그러므로 문학의 길은 마음과 지혜를 활짝 열고 견문을 넓히는 데 달려 있을 뿐 모범 삼아 배운 시대에 얽매이지 않는 것이지.

삶의 본질을 꽂아라!

두보의 시는 사람에 비한다면 성인 같은 존재잖아요? 그런 성인을 버리고 성인보다 낮은 사람에게 배우란 말인가요?

그건 경우가 다른 것이야.

두보의 시는 하나의 완성된 예술품으로 봐야 하지. 그를 배우고자 한다면 완성품만을 가지고 감상해서야 되겠나?

행위와 예술에는 차이가 존재해야 하네. 예를 하나 들어 볼까?

행위 지 악~ 예술

공자님을 존경한다 해서 '이곳이 공자께서 거처하는 집이다.' 라고 하며 땅에다 금을 그어 집을 짓고서는 종일토록 눈을 감고 그곳을 벗어나지 않는다면 그의 행위 또한 공자를 본받은 것이라 할 수 있겠나?

아 ~!

청나라가 천하를 차지한 지가 100여 년이 흘렀다네.

淸

중국 백성의 자녀들이 태어나고 보석과 비단을 생산하는 것이라든지,

집을 짓고 배와 수레를 만들며 경작하는 방법이며 중국 명문의 씨족은 여전히 그대로 남아 있어.

그런데 저들을 깡그리 오랑캐로 몰아붙이면서 그들의 법까지 팽개친다면 그것은 매우 옳지 않은 일이지.

무엇이 보이느냐?

오랑캐

오랑캐만 보입니다!

만약 백성에게 이익을 가져다 준다면 그 법이 오랑캐에서 나온 것이라 하더라도 성인은 그 법을 채택하는 게 옳아.

옳거니! 탕!

이것은 정말 좋은 제도가 아닌가!

청나라의 여러 제도

청나라요? 아니면 오랑캐, 되놈이오?

지금 청나라가 되놈이기는 해.

되놈: 만주 지방에 살던 여진족을 낮잡아 이르는 말

기분 나쁘다 해!

되놈의 청나라는 중국을 차지하는 것이 이익이라는 사실을 알고서 명나라 땅을 약탈하여 소유했네.

지금부터는 우리 땅이야!

한족

그런데 자네들은 빼앗은 주체가 되놈인 것만 알고 빼앗김을 당한 존재가 중국인 줄을 모르고 있네.

영토관리

그럼! 그럼! 땅 넓은 게 얼마나 피곤한 일인데~ 헥헥

청나라는 이익에 따라 모든 걸 결정하는 나라네.

원래 우리가 계산이 좀 빠르지~ 톡톡 톡톡

우리가 병자호란 때 남한산성에서 항복할 때

청나라의 칸*은 동방 사람들에게 모두 호복을 입히려고 했네.

그때 어떤 신하가 간언하기를,

조선은 요동과 심양으로 보자면 폐와 심장 같은 곳입니다. 만일 저들로 하여금 의복을 동일하게 하고 출입을 자유롭게 허용한다면 천하가 아직 안정되지 않은 상태에서 앞으로의 일이 어찌 될지 알 수가 없습니다. 차라리 예전대로 남겨 두는 것이 좋을 듯하옵니다.

*칸(Khan) - 몽골 고원에 세워진 여러 유목국가 군주의 칭호.

그러면 저들을 구속하는 것도 아니면서 가두어 놓는 것이지요.

그러자 칸이 좋다고 하면서 호복을 입히려던 일을 그만두었다고 하네.

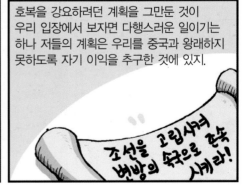

호복을 강요하려던 계획을 그만둔 것이 우리 입장에서 보자면 다행스러운 일이기는 하나 저들의 계획은 우리를 중국과 왕래하지 못하도록 자기 이익을 추구한 것에 있지.

조선을 고립시켜 변방의 속국으로 존속시켜라!

지금은 중국 청나라 법에 대해서 '배울 만하다.'라고 말하면 떼를 지어 일어나서 비웃지.

원수를 갚고자 할 때 원수가 날카로운 칼을 차고 있으면 그 칼을 빼앗을 방법을 고민하는 법!

그런데 지금 청나라가 당당한 부자의 나라가 되어서 천하에 위세를 떨치고 있는데도,

중국의 법 하나를 배우려 하지 않고, 중국의 학자 한 사람과도 사귀려 하지 않지.

패스!

그럼으로써 우리 백성을 고생만 잔뜩 시키고 있을 뿐

나리- 올해 같은 흉작에 그걸 세금으로 걷어 가시면...

아니, 그게 내 탓인가!

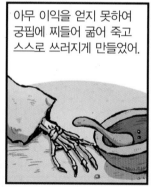
아무 이익을 얻지 못하여 궁핍에 찌들어 굶어 죽고 스스로 쓰러지게 만들었어.

만약 다시 명나라를 위해 원수를 갚고 우리가 당한 치욕을 설욕하고자 한다면

20년 동안 힘써 중국을 배운 다음 함께 논의해도 늦지는 않을 거야.

듣고 보니 선생님 말씀이 구구절절 옳습니다. 부디 저희에게 더큰 가르침을 주십시오!

하핫~ 내가 좀 흥분했나?

넙죽-

《북학의》에 그려진 중국은 휘황찬란하고 문명이 발달한 모습이지만,

그것을 다른 작품과 비교해 보면, 당대 사대부들의 의식을 알 수 있을 거야.

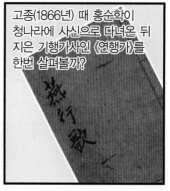

고종(1866년) 때 홍순학이 청나라에 사신으로 다녀온 뒤 지은 기행가사인 《연행가》를 한번 살펴볼까?

1년 365일에 양치질 한 번도 아니하여

이빨은 황금빛이요, 손톱은 다섯 치나 되는구나.

묵을 곳을 찾아가니 집 제도가 우습구나.

두 칸 반에 벽돌을 곱게 깔고, 창이라 는 걸 좌우로 미닫게 하였는데,

창이 무엇인지 모르겠으나 우리나라의 부뚜막과 유사하네.

그 밑에 구들을 깔고 불을 땔 수 있게 마련하고 그 위에 자리를 펴 밤이면 누워 자며, 낮이면 손님 걸터앉기 좋고,

기름칠한 완자(卍)자 창과 회를 바른 벽돌담은 미천한 오랑캐 주제에 집치레가 과람(분수에 넘치다) 하구나…

어때? 배우고 싶은 중국의 모습이라기 보다는 괴상하고 지저분하면서도, 분수에 넘치는 사치를 즐기는 이중적인 모습으로 그려져 있지?

이런 고정관념이 당대 지식인들의 보편적인 상식이었던 것으로 봐야 하지.

그런 시대에 박제가가 '청을 배우자.'고 주장했으니, 사람들에게 돌 맞을 만한 말을 한 셈이지.

그래도 내 뜻을 굽히지 않겠다

제5장

재물이란 우물 같아서 퍼낼수록 생긴다네

중국에도 시장이 있나요?

중국 연경의 9개 성문 안팎으로 뻗은 수십 리 거리에는 아주 좁은 골목을 제외하고는 대체로 길을 끼고 양 옆으로 상점이 늘어서 있어!

으악~

시골의 점포 역시 마찬가지여서 마치 옷에 옷깃이 달린 것과 같지.

와아~ 그렇게 많아요? 가게는 어떻게 생겼어요? 우리랑 비슷한가요?

북학의

열이라면 셋 이상의 비중을 차지한다고 봐야지.

상인은 사농공상 중 제일 마지막에 분류하고 있는 것처럼 가장 낮게 평가받고 있잖아요!

만약 사람들이 쌀밥을 먹고 비단옷을 입고 지낸다면 나머지 물건들은 모두 소용없는 것들이 되는 건가?

쌀만 좋아하고 콩이나 보리를 버려 무용지물 취급을 한다면 어찌 되겠는가?

무용지물을 사용하여 쓸모 있는 물건을 사거나 파는 거래를 하지 않는다면

이른바 쓸모 있는 물건은 대개가 한 곳에 묶여 유통되지 않거나

나도 생선이 먹고 싶다!

그것만이 홀로 돌아다니다 쉽게 고갈돼 버린다네.

하찮게 여겼던 콩이나 보리 등을 팔아 쌀을 사고, 면포를 팔아 비단옷을 사지 않으면

아무리 좋은 쌀이나 비단도 내 손에 들어올 수 없는 법이지.

따라서 옛날 성인이나 제왕들은 이를 위하여 화폐 같은 물건을 만들어 가벼운 물건으로 무거운 물건을 살 수 있도록 하였네.

쓸모없는 물건으로 쓸모 있는 물건을 살 수 있도록 한 거지.

게다가 다시 배와 수레를 만들어 험한 곳이라도 물건을 유통시킬 수 있도록 했는데,

북학의

그렇게 하고도 천 리 만 리 먼 곳에 혹시 물건이 도달하지 못할까봐 염려했어.

민생을 위해 폭넓게 조치한 그분들의 정성이 이런 정도였지.

선생님, 물건이 풍요로운 것은 마음을 더럽히는 행위 아닌가요?

근검절약으로 알뜰히 살면 지금 우리 생활도 살 만은 해요.

마음이 중요하지, 그깟 물질이 뭐 소용 있나요?

생일 축하해~!

그래, 그럼 자네는 풍요로운가?

자네의 누이는 어찌 지내나?

자네의 동생들은 잘 입고 잘 먹는가?

도리도리

으!

나의 마음이 깨끗하다고 해서 풍요로운 생활이 필요 없는 것은 아니네.

백로야 우지 마라~

아무리 농사짓고, 아무리 공부해도 먹는 끼니조차 잇지 못한대서야 되겠나?

배고파...

우리나라는 전국이 수천 리에 이르므로 백성이 적지 않고, 토산품이 부족하지 않아.

그런데도 산이나 물에서 생산되는 이로운 물건이 전부 세상에 나오지 않고 있어 나라 경제가 윤택하지 않다네.

뿐인가? 일상생활에 필요한 일들은 내팽개친 채 대책을 세우지 않고 있지.

관청
오늘부터
쭉~
휴무!

민원

그러면서 내가 중국의 말, 주택, 단청, 비단이 화려하다고 하면 대뜸 이렇게 말하지.

어허~ 사치가 너무 심하지 않나!

그렇지만 중국이 사치로 망한다고 할 것 같으면

우리나라는 반드시 검소함으로 인해 쇠퇴할 것이네.

네? 그럼 사치가 검소보다 낫다는 말씀이신가요? 저희는 어려서부터 검소와 절약을 가장 아름다운 미덕으로 알고 생활했는데…. 어찌 그런 말씀을 하시나요?

왜 그러냐고? 잘 생각해 보게. 물건이 있는데도 쓰지 않는 것을 일컬어 검소함이라고 하지,

자기 손안에 물건이 없어서 못 쓰는 상황을 검소함이라고 하지 않는단 말이야.

그럼 난 검소함의 황제게?

그래, 자네들은 가지고 있는데 안 쓰는 건가, 없어서 못 쓰는 건가? 착각하면 안 되네!

옥

현재 우리나라에는 진주를 캐는 집이 없고, 시장에서 '산호'라는 보석 값은 정하지도 못하네.

금이나 은을 가지고 점포에 가서 떡과 엿도 사 먹을 수도 없지.

이런 현실이 우리가 정녕 검소함을 좋아하여 그런 것이겠는가, 아니면 그 재물을 사용할 방법을 몰라서 그런 것이겠나?

재물의 사용 방법을 알지 못하므로 재물을 만들어 내지 못하고

그냥 나무 장작이 최고여~

석탄

재물을 만들어 낼 방법을 알지 못하니 백성의 생활은 날이 갈수록 궁핍해져 가는 걸세.

찍찍

그건 검소함이 아니지, 아니고 말고!

그 말씀이 맞는 것 같아요. 아무리 아껴도 생활은 조금도 나아지지 않으니, 뭔가 문제가 있는 거예요.

북학의

재물이란 우물에 비유할 수 있지!

우물은 퍼내면 퍼낼수록 물이 가득하지만

퍼내지 않으면 물은 말라버리네.

따라서 우리나라 사람들이 화려한 비단옷을 입지 않으므로 나라에는 비단 짜는 사람이 없고, 그로 인해 여인들의 기술은 날로 피폐해지지.

또 이지러진 그릇을 마다하지 않고 사용하니 도자기 공예술이 나아질 수 있겠는가.

기교를 부려 물건 만드는 것을 숭상하지 않으니 공장장이들의 기술이 형편없어지고, 그러니 기술이 사라졌지.

더 나아가 농업은 황폐해져 농사짓는 방법이 형편없고,

할 것이 없어 장사치를 하느냐! 쯔쯧~.

상업을 박대하므로 상업 자체가 실종되었지.

사농공상, 네 부류의 백성이 누구 할 것 없이 어렵게 생활하기 때문에 서로를 구제할 방도가 없다네.

그렇군요. 하지만 우리나라는 작고 가난한 나라인데 하루아침에 나아질 수야 없겠죠?

그렇지 않네! 우리나라가 가진 게 없어서 가난한 게 아니야!

나라 안에 보물을 가지고 있으면 뭐하나? 이 강토 안에서는 용납되지 않으니 다른 나라로 빠져 나가고 있지 않은가?

그러니 남들은 날마다 더욱 부유해지고, 우리는 날마다 더욱 가난해지는 것이 자연스러운 일이지.

그럼 어떻게 해야 가난을 면할 수 있을까요?

지금 종각이 있는 종로 네 거리에는 시장 점포가 연이어 있는 상태가 반 리도 채 안 되네. 하지만 내가 중국을 다니면서 본 시골 마을의 점포는 대개가 수십 리를 뒤덮고, 게다가 그곳 점포의 번성함과 품목의 다양함은

우리나라 전국에 유통되는 물건 하고는 비교할 수가 없지. 이것은 그들이 우리보다 더 부유해서가 아니라 재물이 유통되느냐 유통되지 못하느냐에 따른 결과이지.

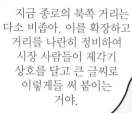

지금 종로의 북쪽 거리는 다소 비좁아. 이를 확장하고 거리를 나란히 정비하여 시장 사람들이 제각기 상호를 달고 큰 글씨로 이렇게들 써 붙이는 거야.

남 원 산
종 이 를 팝니다.

綿布

상도
경상도
면포를
팝니다

강경 4주의 인삼을 팝니다.

이렇게 동대문에서 서대문까지 제도를 완전히 바꾼다면 이 어찌 통쾌한 일이 아니겠는가?

그 많은 거리를 메울 상인들이 있을까요?

장사를 해야 부유해진다고 하더라도 장사에 그리 뛰어들어갈 사람이 얼마나 되겠어요?

아무래도 장사치들은 모양새가 좀 그렇죠?

사내 대장부라면 반드시 과거시험을

중국 사람은 가난하면 장사를 한다네.

탁-
탁-

그렇더라도 사람만 현명하면 원래 가진 풍류나 명망, 절개는 여전히 대접받지.

따라서 선비들이 거리낌없이 서점을 출입하기도 하고

높은 재상이라 하더라도 직접 시장에 가서 골동품을 사기도 하지.

내가 중국에 갔을 때 시장에서 지체가 높은 사람을 만났는데.

같이 중국에 갔던 우리나라 사람들은 모두 그것을 비웃더군.

그러나 비웃을 일이 정말 아니야. 이것은 청나라의 풍습이 아니라 중국의 송이나 명나라 때부터 그랬던 전통이지.

송 (AD 960~12
원 (1271~
명 (1368~1644

우리 양반들은 아무리 급해도 경망스럽게 뛰지 않는다네.

오히려 우리나라가 허례허식만을 숭상하고 주위 눈치를 보며 금기시하는 게 너무나 많아.

어찌쩔~

구더기 무서워 장 못 담그는 일이 생기지.

네? 양반들이 직접 시장에 나가서 물건을 산다고요? 우리하고는 완전히 딴판이네요?

양반님네들이 상인들과 이야기를 나눈다니 믿기지 않아요!

사대부라고 차라리 구걸해 먹을지언정 들녘에 나가서 농사짓는 일은 절대 하지 않지.

우리 사대부들의 한심스러운 꼴 이라네.

굶어 죽어도

일은 못하지!

어쩌다 그런 사대부의 법도를 모르는 양반이 베잠방이*를 걸치고 패랭이를 쓴 채 '물건 사시오.'라고 외치며 장터를 돌아다닌다거나

*베잠방이 - 베로 지은 짧은 남자용 홑바지.

재물이란 우물 같아서 퍼낼수록 생긴다네

79

먹통이나 칼, 끌을 가지고 다니면서 남의 집에 품팔이하며 먹고사는 일이 있을 때에는

부끄러운 짓을 한다고 비웃으며 그 집과 왕래하는 사람이 없을 거야.

그러니 집안에 동전 한 푼 없어도 모두가 정장을 갖춰 입고

차양 높은 갓에다 넓은 소매를 펄럭이며 나라 안을 쏘다니며 큰소리만 치고 있지 않은가?

하지만 그들이 입고 먹는 것이 어디에서 나오겠나?

먹을 게 없으니 세력가에 빌붙어 권세를 얻으려고 하는 게 아닌가?

그러니 청탁하는 풍습이 만들어지고 요행을 바라는 사람이 많게 되는 거네.

뒷돈

이러한 짓거리는 장터의 장사꾼들조차 꺼리는 행위지.

쯧쯧…

따라서 나는 차라리 중국처럼 떳떳하게 장사하는 행위보다 못하다고 말하는 거야!

케케켁

아이고, 미안~ 나도 모르게 흥분해서….

숨막혀 죽을 뻔 했잖아요!

그런데… 중국의 여인들은 예쁘던가요?

내가 중국에 가서 가장 유심히 살펴본 내용이기도 하지. 험험~.

예쁘고 안 예쁘고는 옷이 보여 주는 것 아니겠나?

중국 여인의 의복은 상의나
하의가 모두 섬세하고 산뜻하더군.
상의의 길이는 하체를 다 덮을
정도인데, 어떤 것은 무릎을 겨우
지날 정도의 길이도 있지.

웃옷은 깃을 좁게 만들어
목을 두르고 턱에 와서 깃의
단추를 잠그지. 치마폭은 앞이
3이라면 뒤쪽은 4의 비율로
주름을 가늘게 잡았는데,
치마폭 전체 길이로 했더군.

시골 여자의 쪽진 머리는
높다랗게 정수리에서 들어
올렸는데, 연경 사대부의 쪽진
머리는 낮고 조금 뒤쪽으로 틀었더군.
여자들은 빗질할 때 먼저
정수리의 가르마를 타고 네모반듯하게
하거나 둥그스름하게 만들어
원하는 대로 모양을 냈지.

그런 다음에 붉은 끈으로 머리 밑뿌리를 묶고
머리채를 빗어 고르게 하지. 다음에는
머리채를 구부려서 중간 부분은 비게 하는데,
그 모양이 갓과 같았어. 다음에는 머리채의
끝으로 머리 밑뿌리를 감는데 머리털의 길이에
따라 조절하더군. 한 번 감을 때마다 비녀 하나를
꽂는데, 전후 좌우에 10여 개의 비녀를 꽂기도 했어.
귀밑머리는 비스듬히 모아서 뒤로 돌리는데
쪽을 진 곳으로 합하여 선회하게 했지.
결혼하지 않은 처녀는 이마 정 중간에 머리털을
세로로 가르는 것으로써 구별했지.

하하하. 거 참 자세히도 보고 오셨네요?

허허, 그런가? 중국 여인네의 옷이 인상적이었네.

어험~

현재 중국 여인의 의복은 만주의 풍습을 따르지 않고 중국 고유의 전통이 잘 담겨 있더군.

그래서 여자 의복을 하나 사려고 했으나 돈이 없어서 목적을 이루지 못했지.

오백냥

대신 자세히 살펴보고 왔다네.

탈의실

오호~ 어찌 여인들의 옷에 전통이 남아 있을까요? 남자들은 어떠했나요?

세상은 이렇게 모순이 있는 것 같네.

중국 남자들은 변발을 하고 호복을 입지만

여자들 복장에는 여전히 아름다운 옛 제도가 남아 있었지.

어찌 그리 우리나라와 정반대이던지!

조선의 복식

우리나라의 남자들은 옛 의관제도를 따르고 있지만

여자들 복장은 모두 몽골식을 따르고 있지 않은가?

우리 사대부들은 중국의 호복 입는 것을 수치스러운 일로 여기면서도

자기 집안의 여인들에겐 몽골 복장이 지배해 이를 막을 수 없다는 사실은 눈치채지 못하고 있으니, 원.

어떻게 우리나라에 몽골식 옷이 전해진 건데요?

연경에서 본 화첩* 속의 몽골 여인과 원나라 때 인물들의 모양새가

우리나라와 완전히 똑같더군.

고려 때는 원나라 공주를 왕비로 데려온 일이 많았지.

*화첩 – 그림을 모아 엮은 책. 화집.

아마도 그때 고려 왕실의 의복제도가 민간에 전해져서 현재까지 그대로 유지되고 있는 것 같네.

여인들의 저고리는 날마다 짧아지고 치마는 날마다 길어지고 있네.

이런 차림으로 조상님 제사상 앞이나 손님 사이를 오가고 있으니 어찌 생각하면 한심한 일이 아닌가?

하루빨리 옛 예법에 뜻을 둔 사람이 나서서 옛 제도를 따르게 하는 것이 좋아.

오늘날 가정 내에서 힘깨나 쓰는 대장부가 전혀 없기 때문에 이 일은 아무래도 이루기 어렵겠네요~.

하하하핫~

켁~

제6장 과거제도의 문제

조선시대의 과거제도는 지금의 공무원 선발시험 정도가 될 것 같아.

지금도 치열하게 공부해 공무원 선발시험을 통해

높은 경쟁률을 뚫고 합격한 사람만이 정부 부처의 일을 할 수 있지.

시험 과목은 국어, 국사, 영어, 헌법, 행정 등 그 수만도 어마어마하게 많지.

그럼에도 각 지방 자치단체에서 치러지는 공무원 시험은

평생의 안정적인 직업을 얻을 수 있어 젊은 인재들에게 많은 인기를 끌고 있지.

북학의

그런데 조선시대 과거제도는

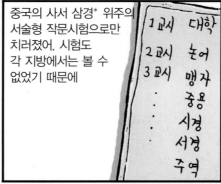
중국의 사서 삼경* 위주의 서술형 작문시험으로만 치러졌어. 시험도 각 지방에서는 볼 수 없었기 때문에

1교시 대학
2교시 논어
3교시 맹자
중용
시경
서경
주역

모두 서울로 올라와 봐야 했지.
시험장소
휘유

*사서 삼경 – 사서는 《대학》, 《논어》, 《맹자》, 《중용》을 말하며, 삼경은 《시경》, 《서경》, 《주역》을 말함.

전국 3천 리를 걸어서 올라와야 했기 때문에 며칠이 소요되었고,

벌써 떠나려고?

가는 데만 보름입니다, 아버님….

혼자 올 수 없으니 많은 하인을 데리고 와야 했어.

그러다 보니 많은 고생 끝에 과거를 봐야 했지.

서울에서만 시험을 보게 하는 것은 너무해!

전국에서 모여든 유생들이 한꺼번에 시험을 치르다 보니 응시생도 어마어마하게 많았어.

밀지 마!
악—
줄을 서시오!
와글
와글

그러니 수천 명이 넘는 유생들의 답안지를 채점하는 데 정성을 기울일 수 있었을까?

채점관

합격자를 실력순으로 공정하게 뽑을 수 없었으니

제일 멀리 날아간 답안지로 뽑아야지!

휙

이보게, 자네 천자문도 다 읽을 줄 모르나?

선발된 관리들의 능력은 점점 보장할 수 없게 되었어.

게다가 당쟁으로 비공식적인 절차에 의해 관리로 선발되는 경우도 많았기 때문에

과거
뒷문

과거제도에 대한 신뢰성은 날이 갈수록 떨어져 갔어.

인재 등용의 산실!
과거시험

이런 과거시험에 문제를 느끼던 많은 실력 있는 인재들은

차라리 과거를 포기하고

재야에 묻혀 홀로 공부하고 도를 닦는 경우가 생겼지.

또 그렇지 않은 대다수의 양반 자제들은

젊은 시절의 모든 관심을 오직 과거 합격에만 두어

그 외의 학문과 과학기술의 발전이 전혀 이루어지지 못하는 병폐를 낳았어.

이런 문제점을 정확하게 알고 있던 박지가가 과거제도에 대한 개선안을 내놓았는데 한번 들어 볼까?

과거란… 무엇인가?

인재를 뽑는 것이지요.

인재를 뽑는 이유는 무엇인가?

그야…, 장차 나라를 위해 그들을 쓰기 위한 것이지요.

인재를 뽑을 때 문장을 기준으로 하는 것은 그의 문장 솜씨를 이용하기 위한 것이고,

활쏘기를 기준으로 하는 것은 그의 활솜씨를 이용하기 위한 것입니다!

그렇다면 오늘날의 과거는 무엇을 목적으로 하고 있는가?

앞서 치른 과거에서 합격한 인재를 미처 기용하지도 않았는데

아삭~

다음에 치른 과거를 통해 또 다시 급제자가 무더기로 배출되고 있지 않은가?

우르르~

임용

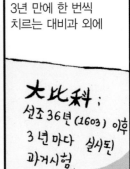

3년 만에 한 번씩 치르는 대비과 외에

大比科: 선조 36년(1603) 이후 3년마다 실시된 과거시험.

반시, 절일제, 경과, 별시, 도가라는 명목의 다양한 과거시험이 번잡하게 치러지고 있단 말이네.

반시   도가   경과
시   별시   절일제

선생님 말씀이 맞습니다. 수십 년 동안 크고 작은 과거에서 배출된 인원이

국가에서 정한 관직의 정원수에 비해 10배는 많다고 하지요.

이렇게 많은 인원을 결코 모두 기용할 수 없다는 점을 감안하면

올해도 안 써 주시나요?

노...녹봉이 없네...

임용당당

그중의 9할은 쓸데없이 배출한 인원임이 분명하지요.

오~ 통재라! 그렇다면 인재를 선발해 등용시킨다는 과거 본래의 목적은 과연 어디에 있단 말인가?

그럼 선생님은 과거가 어때야 한다고 생각하시나요?

현재 치르는 과거는 중국 고전작품의 문장을 통해 인재를 시험하고 있지.

그런데 그 문장이란 것이 위로는 조정의 관가에서도 쓸 수 없고, 임금의 자문에도 응용할 수가 없을 뿐만 아니라

맹자왈~

꿍~

아래로는 사실을 기록하거나 인간의 성정을 표현하는 데에도 불가능한 문체란 말이야.

정말 측은지심을 금할 길이 없네. 시비지심*은 이제 그만 버리고….

합격

불합격

*시비지심 – 옳고 그름을 가릴 줄 아는 마음.

어린아이 때부터 과거 문장을 공부해

하늘천 따지~

머리가 하얗게 될 때 과거에 급제하면

합격!

만세!!!

바로 그날로 그 문장을 내팽개쳐 버리지 않나?

논어

아저씨~!

고물

한평생의 정기와 알맹이를 과거 문장 익히는 데 전부 소진했으나

다… 떼겠다!

털

쩍

정작 국가에서는 그 재주를 쓸 곳이 없게 되지.

암기 위주의 업무는 자신 있습니다!

맞아요! 과거시험에 쓰이는 형식들은 이른바 중국의 사서 오경*인데

대부분이 진부한 내용에다 현실과 다른 내용이어서

돌돌

돌돌

군자의 도는 비유하건대 멀리 가려면 반드시 가까운 데 높은 데 오르려면 반드시 낮은 데로부

한 글자도 진실한 지식이나 새로운 견해가 없어요!

펑

*오경 – 《시경》, 《서경》, 《역경》, 《예기》, 《춘추》.

북학의

독서하는 사람들은 글자를 보기만 하면 시 지을 것을 생각하고

변소라... 변소... 변소...

문구만 보면 시험 제목을 떠올리지.

국밥 설렁탕

어떤 말을 쓰기는 하지만 그것이 어떤 일을 말하는지 모르는 거야.

자왈 천하국 가를 하균야요~

이러한 기예를 가지고 인재를 취하는 것은 참으로 허술하기 짝이 없는 방법이야.

· · · · ·

더구나 남의 손을 빌려 글씨를 쓰거나 글을 대신 써 내기도 하는 등

대필 대리시험

능력도 없으면서 무턱대고 시험을 치르는 폐단은 한두 가지가 아니지.

일단 치고 보는 거지 뭐!

시골 마을에서 보는 평범한 시험에도

〈과거시험〉
→장소 : 마을 회관

답안을 바치는 자가 곧잘 1천 명을 넘어서고

서울의 대동과(大同科)에는 유생이 곧잘 수천 명이 넘는다고 하더군요.

수천 명이 넘는 많은 응시자를 두고 반나절 사이에 합격자를 발표해야 하기 때문에

와글 와글

시험을 주관하는 사람은 채점하기에 지쳐서

흠~~~

답안지 답안지

눈을 감은 채 답안을 내던지고 말지.

사정이 이러한데 아무리 대단한 사람이 과거시험을 주관하고

줄을 서시오!

시험감독

천하의 천재가 문장을 짓는다 해도

번개같이 답안지를 넘길 것이니 그 글을 알아볼 수 있겠나?

당당한 선비를 선발하는 자리가 도리어 제비뽑기의 운보다도 못한 형편이니

뽑아!

인재를 취하는 방법을 정말 믿을 수 없지!

과거

그뿐인가요? 문벌과 붕당을 따지는 차별도 있잖아요!

문벌: 사회적 신분이나 지위.
붕당: 학맥과 정치적 입장에 따라 형성된 집단.

그렇지. 그로 인해 합격되기도, 불합격되기도 하지.

불합격!
합격!

요행히 이러한 난관을 극복하고 기용된 경우

그는 억세게 운이 좋은 것이지.

승!

이렇게 인재를 기용하는 방법이 외형에 있지 능력에 있지 않음은 우리도 충분히 짐작하는 바예요.

사람이 태어나 열 살 무렵이면 두각을 나타내면서 점차 성장하는데

마치 대나무가 처음 솟아날 때부터 1만 자 크기로 자랄 기세를 보이는 것과 같지.

이러한 때 과거시험 문장을 가르쳐서 몇 해를 골몰하게 만들면

이후에는 그 병을 고칠 수가 없는 법이야.

취미가 뭐야~?

공자~ 왈! 맹자~ 왈!

요행히 과거에 급제한다 해도 그날로 지금까지 배운 것을 버리는 세상이니

한 사람이 평생 쓸 에너지를 몽땅 과거시험에 쏟았어도 정작 그 사람을 쓸데가 없는 것이지.

우린 닮은 꼴!

취한 인재가 전혀 쓸모없는 것을 확인했으면서도

인재가 없어! 인재가!

또다시 그 쓸모없는 과거시험 문장을 채택하고 있네.

이것이 내가 하루 종일 밥을 먹지도 못하고 밤이 새도록 잠을 설쳐 가며 생각을 거듭해도 이유를 알 수 없는 문제지.

그래도 우리 조선의 역대 유명한 신하들은 이 시험을 거친 사람이 많은데 어찌 하루아침에 과거시험을 없앨 수가 있을까….

그건 다 옛날 일이야. 천하의 모든 길을 막아 놓고 문을 하나만 만들어 놓는다면 공자님이라 할지라도 그 문을 통과해야 할 거 아냐?

더구나 옛날의 과거는 오늘의 과거와 비교할 수가 없네.

과 거

옛날에는 과거에 응시한 유생의 숫자가 400명을 채웠다고 축하잔치를 열었다고 하네.

400명의 응시자가 많았다고 한다면 다른 때는 훨씬 적었다는 것이지.

자네들이 다인가?

시험장에 들어가는 일 한 가지만 보더라도

먼저 들어가려고 싸우거나 남의 발에 짓밟히는 사고가 발생하는 오늘하고는

비교할 수 없지. 암암.

하긴 그래요. 현재는 그때보다 100배가 넘는 유생들이 물과 불, 짐 보따리 등을 시험장 안으로 들여오고, 힘센 무인들이 들여오며,

심부름하는 노비들이며 술 파는 장사치까지 들어오니 과거 보는 마당이 비좁지 않을 리가 있겠어요?

와자

예헝~

지껄

심한 경우에는 망치로 상대를 치는 일도 있고

명당자린 내 거야!

막대기로 상대를 찌르고 싸우며

금 넘어 오지마!

쿡쿡

하루 안에 과거를 다 치르게 되면 머리털이 허옇게 세기도 하고

파하~ 진이 다 빠지네..

변소에서 구걸을 요구당하는 일도 비일비재하대요.

열 냥만 주면 금방 나가지~.

제발~ 글쎄~

심지어는 다른 사람에게 눌려 죽는 일까지 발생하잖아요.

시제를 먼저 보는 사람이 장땡이야!

〈시제〉

꼴까닥

예를 표하며 겸손해야 할 장소에서 강도질이나 전쟁터에서 할 짓거리를 하고 있으니…!

떡

공자라면 반드시 오늘날의 과거장에는 들어가지 않을 거예요!

꿈~
탁

그래서 내가 주장하는 바가 만약 과거제도를 완전히 없애지 못한다면

뭐라고?

윽!

중국의 제도를 사용해 보는 것은 어떨까 하는 것이네.

Made in China

그러면 일시에 새로워지고, 온 나라에 들어 있는 중병도 치료할 수 있지 않을까?

뭐?

그래서 풍속이 뒤바뀌어 높은 수준에 도달하면 얼마나 좋겠는가!

아니, 그럼 선생님은 중국의 과거제도를 잘 보고 오셨나요?

물론이네. 중국 역시 문장으로 선비를 뽑기는 마찬가지네.

사서(四書) 주자학, 주희...

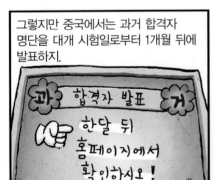

그렇지만 중국에서는 과거 합격자 명단을 대개 시험일로부터 1개월 뒤에 발표하지.

과 합격자 발표 거
한 달 뒤
홈페이지에서
확인하시오!

그리고 반드시 시험지 끝에 누가 답안을 평가했는지를 써서 지원자에게 돌려 주게 되어 있다네.

채점 결과네.

채점자 포청천

그래서 사람들에게 합격하고 불합격한 이유가 어디에 있는지를 분명하게 알도록 했지.

合격
不合格

와~ 그거 좋겠군요!

과거시험 주관자가 현명한 사람이라면 자리를 옮기지 않고 그 직책을 오래도록 맡아야 하네.

또 선비 중에서 이름 있는 자를 제대로 뽑아 각 마을의 시험장에 나누어 파견해야 하지.

제가 합격시킨 아주 똘똘한 관리지요!

그가 주관한 시험에 합격한 문생의 우열에 따라

시험 주관자의 명예를 판가름할 수 있도록 말일세.

Best!

그러면 재능이 없는 사람은 함부로 응시하지 못하고

하늘 지 땅 천~

명예나 좇는 사람은 시험 보기를 꺼려 하도록 할 수 있네.

과거 시험 잠가 최다 기록을 깨야지!

일찍이 중국의 시험 장면을 그린 그림을 본 적이 있는데,

중국의 과거시험은 모두 건물 안에서 문을 닫아 건 채 치르는데, 이를 장옥(場屋)이나 쇄원(鎖院)이라 부르더군.

이를 통해 부정한 행위를 방지하고 비바람 맞는 것을 대비할 수 있지. 또 가시나무로 주변을 에워싼 시험장이 빈틈이 없고 견고했네.

선비 1명에 방 하나를 주고, 마당 한 칸을 배정하되, 붓과 벼루, 음식, 오줌통과 같은 물건이 모두 그 안에 놓여 있었지. 2명의 군졸이 그를 지키는데 한 사람은 심부름을 하고 한 사람은 문을 지키는 것이라네. 그들의 엄숙함은 대단해 보였어.

그럼 이제 우리의 법대로 선비를 뽑는다 하더라도 시험장은 500칸 규모의 건물이면 충분할 거야.

옛날의 덕행과 각자의 기예를 기준으로 선비 100명을 제대로 뽑을 수 있다면 나라를 다스리고도 남을 거야.

시험장 건물을 마련하는 게 뭐가 그리 어렵겠는가?

그... 그렇지요~

건축 담당관

그래도 저는 우리나라 과거 응시생이 너무 많은 게 문제라고 봐요.

와글

와글

할 수 없잖아? 유생이 나라 안에 두루 퍼져 있으니

누가 일일이 그들을 구분해 과거 응시를 제한할 수 있겠어?

그것은 그리 어렵지 않을걸?

?

능력 있는 사람은 반드시 뽑고

급제

무능한 사람은 반드시 쫓아낸다면

사람들이 뭐하러 아무 결과도 없는 과거시험을 보려 하겠어?

시험장 가준이하면 곤장 10대.

중국처럼 문을 닫아 건 채 시험을 치르고

남이 쓴 글을 베끼는 짓이나 능력도 없으면서 무턱대고 시험을 치르는 행위를 엄중히 금지한다면

커닝 금지
응시 금지

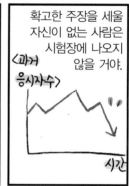

확고한 주장을 세울 자신이 없는 사람은 시험장에 나오지 않을 거야.

〈과거 응시자수〉

시간

옳거니~ 나도 자네 말에 찬성이네!

나도 유생을 도태시켜야 한다고 여러 차례 전하께 상소를 올렸네.

하지만 과연 유생 중에 속수무책으로 물러날 이가 있을까요?

유생이 소속된 학파의 장으로 하여금 추천장을 통해 그의 문장과 행실이 과거시험에 응시할 자격이 충분하다고 보증을 하게 해야지.

또 엄격하게 사실 여부를 대조해야겠지.

그 다음에 거주하는 지방의 관장으로 하여금 추천받은 사람 가운데서 선발해 서울로 올려 보내면 되네.

이를 마치면 경서를 강의하게 해 시험을 치러 여기에 합격하면 다시 고시관 앞에서 시험을 보게 하면 되네.

이상 네 가지 단계를 거친다면 무턱대고 시험을 보려 덤비는 사람이 거의 없을 것이네.

또 반드시 유생의 능력 여부와

〈개인 Data〉
- 내신 : 9
- 수능 : 5
- 토플 : 1

항간에 돌아다니는 소문을 장부에 기록해

수시로 옆마을 씨암탉을 서리 한다는 소문이 있음

이 답안 정말 자네가 쓴 게 확실한가?

시험답안과 참고해 살펴보는 것이 타당하네.

예? 저… 그게…

이렇게만 한다면 능력 없는 사람이 뽑히는 일은 없을 것이네.

엉~엉~

부정행위

하지만 아무리 그렇게 하더라도 천하의 선비를 어떻게 과거라는 제도로만 다 얻을 수 있을까요?

무슨 목적이 있어서 착한 일을 행했다면

제비야, 어서 가서 보물 박씨를 물어 오너라.

그 선행은 분명히 억지로 행한 위선이에요.

뭐!

놀부

분명 목적이 없는데도 착한 일을 했다면 그것이야말로 선행이지.

따라서 진정한 인재를 얻고자 한다면

슥-

반드시 뜻하지 않은 방법으로 불시에 인재를 시험해야 하며

괜찮으세요, 어르신?

하이고~ 고맙네, 저으이

또 버림받은 많은 인재 가운데서도 재원을 선발해야 하지.

자고로 항문이란 말이다…

그런 다음이라면 인재의 수가 많아져 얼마든지 골라 쓸 수 있겠네요.

와글
와글

하하핫~
바로 그것이네.

딱!

버림받은 많은 인재들은

스스로 선을 그어 과거시험과 단절된 채 무엇인가를 할 것이야.

그때 뜻하지 않은 방법으로 불시에 인재를 시험한다면

자네,
과거시험
다시 보지
않겠나?

헉~

똑똑한 사람이기에 10여 일에서 한 달 정도만 과거에 쓰이는 문장을 공부해도

너끈히 합격할 수 있지.

祝

따라서 과거제도를 잘 활용한다면,

우수
인재의
등용문
과거

그 제도를 이용해서 중간 정도의 선비를 낚을 수 있고

법을 초월한 제도를 이용해서는

최상의 선비를 얻을 수 있다고 보네.

큰 뜻을 품은 선비라면

훌쩍 날아서 과거장에는 들어가지도 않고

과거를 비천하게 여겨 말조차 꺼내지 않는다는데 왜 그렇다고 생각하시나요?

그 사람은 마음 속으로

이 과거 문장은 옛날의 좋은 문장이 아니고

과거제도는 참된 인재를 고르는 방법이 아니라고 생각하기 때문이겠지.

기계적인 과거제도 반대!

그가 추구하는 진정한 학문을 버리고 과거 보는 짓을 할 수 없다고 생각하는 거야.

평생 농사나 지으며 공부에 정진하리~

현재 조정에서는 문벌을 따져 인재를 기용하고 있어

문벌에 속하지 않은 사람은 모두 태어날 때부터 비천하다고 보고 있네.

문벌 귀족

빈문벌

사회적 신분상승

그러나 바위굴에 거처하며 보잘것 없이 사는 사람의 부류나

민간에서 부대끼며 사는 많은 평민들 가운데

오히려 한평생 깨끗하게 행동하며 인재 교육을 게을리 하지 않는 사람이 있지 않은가?

그런 부류의 사람은 두려움이나 위축됨으로 행동에 제약을 받지 않으며

그러면 비로소 멀리 지방에서 독서하고 있는 선비나

신분이 천하기는 해도 기이한 재능을 가진 사람들을 모두 조정에 세울 수 있지.

아하, 그렇군요!

명철한 인재를 발굴하되,

문벌가 자제
영재
수재
조기 교육

미천한 인재도 발굴하라는 말이 있지 않은가?

농사 신동

작물에 대해 모르는 게 없대~

현명한 사람을 세우되,

하루속히 관직에 오르라는 어명이오!

처지에 구애되지 말라고 한 말도 그에 속하지.

성은이 망극하옵니다, 전~하~.

전국 각지의 유배자, 서얼 가리지 말고 좋은 인재를 천거하라!

버림받은 많은 인재 가운데서 재원을 선발해야만 하네.

예, 마마

그런 다음에야 인재의 수가 많아져 얼마든지 골라 쓸 수 있을 것 아닌가.

선생님 말씀을 듣다 보니 저도 용기가 생기는 걸요? 당장 과거시험을 봐도 떡~하니 붙을 것 같은 예감이 든다고요!

오~ 과거에 급제씩이나?

그저께 천자문 시험에 빵점 맞은 게 누구였더라?

하하하핫

제7장 수레는 하늘에서 나온 도구라네.

2010년, 서울의 모습을 한번 살펴볼까?

밤이고 낮이고 쉴 새 없이 달리는 자동차.

아무리 넓은 도로라고 하더라도

주말이면 빼곡하게 차들로 인산인해를 이루는 곳이지.

대한민국에서 만든 자동차는

세계 각국에서 좋은 품질로 인정받고 있고, 판매량 또한 높다고 해.

지금은 자동차가 한 가구당 한 대를 넘어서,

한 집에 두세 대씩 가지고 있는 집도 있잖아. 굉장하지?

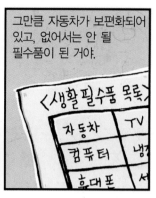
그만큼 자동차가 보편화되어 있고, 없어서는 안 될 필수품이 된 거야.

<생활필수품 목록>

자동차	TV
컴퓨터	냉...
휴대폰	서...

반면 300년 전 조선의 모습은 어땠을까? 박제가가 설명하는 조선의 모습을 볼까?

1800
조
1700
선
1500

그때는 자동차는 고사하고

바퀴 달린 수레 한 대 없었대.

옛날 그림에서 가마 타는 행렬을 본 적이 있지?

나무 막대기로 연결되어 있어 앞뒤를 사람이 들어야 하는 그런 가마 말이야.

한 사람이 겨우 가마 위에 타고

앞뒤, 어떨 때는 옆까지 보조하는 사람이 필요했지.

가마가 기울어져 사람이 떨어지는 경우가 흔했기 때문에 사람이 많이 달라붙어야 했어.

그뿐 아니라 가마를 만드는 나무가 너무 무거워서

인부들이 들 때는 체력이 다 소모될 정도였대.

히히힝~ 싫어요~

절 절

나들이 좀 도와 줘야겠다!

말이 가마를 끄는 경우도 있었는데, 그때도 바퀴는 달지 않고 앞뒤로 가마의 연결된 손잡이를 말 안장에 연결해서 이동했어.

그러니 뒤의 말은 앞이 보이지 않아 앞서 가는 말과 보조를 맞출 수가 없었고,

가마의 무게가 너무 무거워 가마를 멘 말은

고기로도 먹을 수가 없을 정도로 노쇠해 버렸다는군.

짐을 옮기거나 사람이 이동할 때는 말을 타기도 했어.

또 말의 허리에 짐을 매달고 마부가 앞에서 끌고 가기도 했고

귀한 양반이 말을 타고 갈 때면

달각 다각

말을 조종하기 위해 마부가 꼭 앞에 서야 했어.

그러니 빨리 달릴 수 있는 말의 기질을 이용하지 못하고

사람이 걷는 것과 큰 차이 없이 이동한 거지.

······

꽥꽥

북학의

또 말의 등에 매달 수 있는 짐의 양도 한정되어 있었겠지?

많이 실어야 쌀 두 섬을 연결해 매다는 것이 고작이었지.

사람이 등에 봇짐을 지고 걸어가는 행렬이나

말이 등에 짐을 싣고 가는 행렬이나 전국의 생산물을 이동하는 데에는

절대적으로 한계가 있었던 거야.

물류 시스템 개선하라!

운송 거부

또 등에 짐을 싣고 다니는 말은 잡아당긴 끈 자국이 배에 패어 있고

초췌하여 사람이 탈 수가 없었어.

따라서 좋은 말을 가지고 있는 사람은 일하지 않고 놀고먹는 집안의 사람인 거지.

나귀 한 마리라도 기르려면

사람이 하루에 먹는 음식의 두 배 이상은 먹여야 하는데

주인이 외출하지 않고, 나귀의 힘을 제대로 이용하지 못하고 있으니

도리어 나귀한테 부림을 받는 격 아니겠어?

긁적~

수레는 하늘에서 나온 도구라네

양반 하나가 먼 지방으로
이동이라도 할라치면

가마를 타든 말을 타든 양반을
태우고 가는 말을 마부가 이끌고

그 뒤로 가족이나
종들이 쭉 걸어서
따라가야 했어.

수령이나 왕이 천 리고 만 리를 간다면 수행원들은 아무리 먼 길이라도 걸어서
따라가야만 했다고.

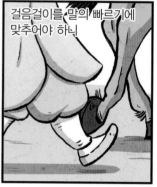

걸음걸이를 말의 빠르기에
맞추어야 하니

땀을 뻘뻘 흘리고 숨을 헐떡거릴 수밖에 없었어. 온통 땀범벅이 되고 머리는
봉두난발*을 한 채 마른 땅 진 땅을 가리지 않고 마구 다니니
그 모습은 애처롭기도 하고 민망하기도 했지!

*봉두난발 – 머리털이 텁수룩하게 마구 흐트러짐.

이는 온 나라의
백성이 지치고
병드는 가장 큰
원인이었어.

하지만 우리나라가
옛날부터 이랬던 것은
아니라는 거야!

삼국시대의
고분벽화를 보면,
말이 끄는 수레 그림이
나오지?

고 기원은 아주 오래된 것이라고
봐야 해.

그런데도 왜 조선시대에는 수레나
마차가 실용화되지 못했던 걸까?

당시 관리들은
이렇게들 말하곤
했지만,

조선은 산이
많아 수레를
사용하기가
어렵지!

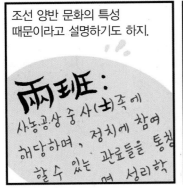
조선 양반 문화의 특성
때문이라고 설명하기도 하지.

兩班:
사·농·공·상 중 사(士)족에
해당하며, 정치에 참여
할 수 있는 관료들을 통칭
면 성리학

빨리 달리거나 급하게 움직이는 것을
비천하다고 생각했던 정서적 성향
때문에

어험~

어기적

어기적

양반들은 마차나 수레보다 하인들이
천천히 움직이는 가마를
선호했다는
거야.

한번 타 봐.
얼마나
좋은데~.

흔들

흔들

즉 백성이 사용해서 이익을 얻을
수 있는 수레의 가치보다는

아이디어
공모

양반 자신들의 정서적 취향이 더욱
중요했던 거야.

유교

4서
3경

조선

이렇게 기술을 등한시하고,
실용주의를 천한 것으로 여긴 일은

과학

기술

실

양반 문화의 고질적인 폐단 중
하나라고 볼 수 있지.

뭐, 워낙에
체면치레를
중시하는
유교를 따르다
보니 그런
거지….

그런 상황에서 박제가가 중국에서
본 광경은 깜짝 놀랄 만했지.

살이나 좀
빼시지….

바퀴 달린 수레가 큰 길을 점령하고
있었고

집집마다 수레 한 대씩을 갖추고 있어 편하게 생활하고 있었어.

커다란 바퀴에 십자살 무늬로 바퀴살을 만들고, 수레의 몸체와 고정쇠로 단단히 엮어 매 앞에서 말이 끌고, 수레에는 짐을 한 가득 싣고 다니는 모습을 보았지.

말의 등에는 기껏해야 쌀 두 섬을 실었지만 수레의 몸통에는 쌀 열 섬을 실어도 말이 힘들이지 않고 끌고 갔던 거야.

언젠가 본 사신의 행렬은

앞에서 사신이 탄 수레를 말이 끌고, 옆에는 마부가 이끌고 가더라.

그리고 바로 뒤 아주 커다란 수레에 교대할 마부들이 타고 있더래.

역마다 마부를 교체해 주니 마부들은 모두 넉넉한 체력을 갖고 있었던 거야.

조선의 모습과는 너무나 달랐지.

이에 사람들을 모아 놓고 말했어.

수레는 하늘에서 나와 땅 위를 운행하는 것이야.

만물을 수레에 실으니 이로움이 이보다 큰 것이 없다네.

그런데 유독 우리나라만 수레를 이용하지 않는단 말이지.

우리나라는 산천이 험준하기 때문에 수레는 적당하지 않은 것 같아요.

바퀴는 길이 좁거나 험해도 굴러 가지.

길이 험한 것은 문제가 되지 않는다네.

다만, 웅덩이가 파인 곳은 꺼리니, 그런 곳만 잘 정비하면 된다네.

옛날 신라나 고려 때도 수레를 이용했네.

그리고 진짜로 수레를 끌고 가지 못할 험한 곳이라면 수레를 안 끌고 가면 되는 거야.

도리

각 도마다 도의 수레가, 각 고을마다 고을의 수레가, 그리고 집안마다 그 집안에서 사용하는 수레가 있다면

경상도

뒷골마을

개똥이네

차례로 옮겨 가면서 이용하면 되지.

수레환승 100m →

중간에 아주 험준한 지형이 있을 경우에는

전에 하던 방식대로 사람이 져서 나르거나 말에 실어서 나르면 되고.

수레 한 대로 천 리 만 리를 가는 경우는 매우 드문 일이야.

<파업중>
내가 근두운이냐!

더구나 수레가 다니면 길은 저절로 생기게 마련이니

길을 약간만 닦는다면 수레가 다니지 못할 곳이 없지.

중국에 갔다오시더니 거짓말만 늘었나? 왜 중국의 것만 필요하다고 하는 거야? 그런 오랑캐의 물건을 우리가 쓸 수는 없지. 안 그래?

암, 당연하고─

아무리 좋은 생각을 가지고 이야기해 주면 뭘 하냐고. 열린 귀와 열린 눈으로 조선의 현실을 바꿀 생각을 하지 않는데….

아니, 자네들은 나이도 어린 친구들이 어찌 그리 고리타분한 생각들만 하나!

윽~!

한 전라도 상인이 있다고 해보자고.

전라도

그가 처자식을 이끌고 생강과 빗을 등에 짊어지고 걸어서

서울에 가 물건을 판다면 그 이득이 얼마나 되겠나?

물건 값을 비싸게 받으면 본전의 네 배 아니, 두 배나 남을까?

하지만 길거리에서 근력을 모두 소비할 뿐 아니라 가정을 이루며 사는 즐거움을 다 버리는 것이니

어찌 이것이 이득이라고 할 수 있겠나?

끄먹 끄먹

음~

해안가의 미역과 홍어를 실은 행렬이 밤낮으로 서울로 이어지고 있으나

그다지 큰 이득을 남기지 못하는 것은

거 참 이상하네….

<손익 계산서>
적자

말을 먹이느라 든 비용이 매우 크기 때문이지.

따라서 영동지방에서는 꿀은 많이 나지만 소금이 없고

텅~

관서지방에서는 철이 생산되기는 해도 감이나 귤이 없고.

함경도에서는 삼(마)은 잘 되어 넘쳐나지만 면은 귀하지.

산골에는 팥이 지천에 깔렸고

바닷가 마을에서는 창난젓을 지긋지긋하게 먹고 있지.

<주간 식단표>
밥 | 떡 | 죽 | 밥
창난젓 | 창난젓 | 창난젓 | 창난젓

맞아요!

그러니 산골에서는 돌배를 담가서 식초를 얻고

그것을 소금이나 메주 대용으로 사용한다네.

이제 간이 맞습니까?

하핫, 그.. 글쎄요~

새우젓과 조개젓을 보고는 처음 보는 특이한 물건이라고 하지.

자기 땅에서 많이 나는 물건을 다른 곳의 필요한 물건과 교환해 풍족하게 살고자 하는 백성도 있지만 힘이 없기 때문에 그렇게 못하는 것이야.

바로 이런 문제를 해결할 수 있는 것이 수레라고.

또 수레 이야기이십니까? 아니, 말이 있고 소가 있는데 수레가 왜 또 필요합니까?

어허. 말? 거 좋지. 말 한 마리가 수레 한 대와 비교해서 대적할 만한 점도 있고 오히려 매우 기민하다는 점도 있지, 있고 말고. 하지만…

다각 다각

수레로 짐을 끄는 노력과 말의 등에 짐을 싣고 가는 노력은 많은 차이가 있지.

우선 말은 병이 들지만 수레는 병드는 일이 없어.

24시간 항시대기

게다가 대여섯 마리의 말이 수레를 끌면

말 대여섯에 짐을 싣는 것에 비해 여러 배의 이익이 있다는 거네.

큰 수레가 비록 느리고 엉성해 보여도 다섯 마리의 소로 끌게 해 15석의 곡식을 실어 나를 수 있다면,

북학의

다섯 마리의 소 등에 각각 두 섬씩 곡식을 싣게 하는 경우와 비교해 벌써 3분의 1의 이익을 얻게 되는 것이 아닌가?

음~ 확실히 그러네요….

에이, 그래도 그것만으론 뭔가 부족한 듯한데요….

미투리*는 100리 길을 가면 구멍이 뚫리고

짚신은 10리 길만 가도 구멍이 난다네.

미투리는 짚신 값에 비해 10배나 비싸기 때문에

*마투리 – 삼이나 노 따위로 짚신처럼 만든 신.

비천한 백성은 모두 짚신을 신어 날마다 갈아 신기에 여념이 없지 않나?

조금만 멀리 떠나려면 짚신을 몇 켤레씩 챙겨 가야만 하지요!

가죽신 값은 또 미투리에 비해 10배가 넘어.

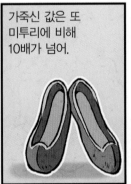

이렇게 신발 값이 비싼 것은 다 수레가 없기 때문이야.

수레가 무슨 소용이야? 신발만 튼튼하고 좋으면 되지~.

수레바퀴라는 것은 모든 백성에게 나막신을 신기고 거기에 못을 박아 단단하게 만든 격이라고 할 수 있지.

뚫어지지 않는 신발 말이네.

하하핫~ 재밌는 표현이네요!

우리나라에는 산이 많기 때문에

70퍼센트가 산지

수레를 만들 수 있는 목재가 곳곳에 넘쳐난다네.

그러나 그 많은 목재는

땔감이나 숯을 만드는 재료로 쓰이는 것 외에는 다른 용도가 없지 않은가. 갖고 있는 보물을 버려 두고 목재가 없다고 걱정하고 있으니

이 무슨 까닭이란 말인가?

보물 지도

그럼 지금 우리나라에는 수레가 전혀 없나요?

아니, 우리에게도 수레가 있지!

덜컹 덜컹

하지만 우리 수레는 활용도가 낮아 아직 제대로 된 모양새를 갖추지 못했어.

덜컹 덜컹

구조가 너무 조잡해서 빈 수레로 다녀도 소 한 마리를 지치게 만들더군.

큰 나무를 사용해 소의 목덜미를 내리누르기 때문에

북학의

병들어 죽는 소도 많더라고. 수레를 끈 적이 있는 소는 그 고기가 질겨 먹을 수가 없고

그 뿔도 사용할 수 없지.

소고기 팔러 왔수다.

혹시 수레 끌던 소면 다시 가져가시우!

너무 피곤해 독성이 배출된 결과지.

함경도에서는 본래부터 수레를 사용했는데,

함
경
도

몽골의 수레 형태를 모방해 상당히 가볍고 빠르지.

그러나 개인이 사사로이 만든 수레들이어서

학교 안 가나?

오늘은 수레나 만들려고요~

모두 법도에 맞지 않아. 그 쓰임새가 크지 않아. 쓸모를 안다 하더라도 규격과 이치를 맞추지 않으면

일수불퇴* 일세. 하핫!

큰 이익을 거둘 수 없는 것이 수레지.

*일수불퇴 – 장기나 바둑에서 한 번 둔 수는 물릴 수 없음을 이르는 말.

수레는 사람이 타는 수레,

물건을 싣는 수레가 각각 다른 법 아니겠나?

수레의 크고 작음과 가볍고 무거움, 그리고 빠르고 느린 정도에 대해서는

車

중국 사람들이 겪어 보고 연구한 것이 깊이가 있어.

우리는 그것을 솜씨 좋은 장인으로 하여금 모방해서 만들게 하면 되는 거야.

한 자 한 치라도 차이가 있으면 그것을 수레라 할 수 없지.

그럼 중국의 수레는 우리나라의 것과 얼마나 다르나요?

중국의 수레는 어떻게 생겼지요?

음, 수레를 직접 보면 얼마나 유용한 물건인지 알 수 있겠지?

북학의

북학의

제8장 새지 않는 배를 만들어 교류해야 하네

인천 항구나 부산 항구에 가 봤니?

빼곡하게 들어선 배들은 어마어마하게 크고, 항구 지역에는 배에 실을 거대한 컨테이너로 꽉 차 있지?

밤낮 가리지 않고 컨테이너에 실은 우리나라 물건들이 미국, 유럽 등지로 나가고, 반대로 외국의 많은 물건들이 우리나라에 들어오기도 하고 말이야.

한강에는 유람선이 떠 있어 몇천 원만 내면 한강을 돌아보며 서울 구경을 할 수도 있잖아.

북학의

그런데 300년 전 조선의 모습은 어땠을까?

조선은 수레를 사용하지 않았을 뿐 아니라

배도 제대로 이용하지 못하고 있었어.

배로 들어오는 물을 막을 수 있기를 하나,

들이치는 빗물을 피할 수 있기를 하나,

아니면 짐을 많이 싣기를 하나 말이야.

No!

거기다 뱃사공은 힘이 들 대로 들지를 않나,

배에 실은 말이 위태롭지 않기를 하나!

이렇게 한 가지라도 이점을 갖고 있지 못했던 거야.

배란 물에 빠지는 것을 피하려고 만든 도구지.

그런데 나무를 정밀하게 깎지 못했기 때문에

그 틈으로 새어드는 물이 배에 한가득 고이곤 했지.

짐을 운반하는 배든 사람을 싣고 나루터를 오가는 배든 가릴 것 없이

배 안은 빈 틈으로 새어드는 물로 항상 고여 있었어.

배에 탄 사람의 정강이는 마치 냇물을 건너는 것처럼 젖어 있어야 했고,

배에 탄 사람들은 고인 물을 퍼내느라 온 힘을 쏟아야만 했지.

그러니 배를 타고 싶은 사람이 몇 명이나 있었겠어?

곡식을 배에 싣는 것도 문제였어.

우선 볏짚을 엮어 가마니를 만들어 그것에 곡식을 담는데,

그 가마니가 흔들리는 배 안에서 이리저리 움직이지 못하게 새끼줄로 묶었기 때문에

한 섬을 실어도 거의 두 섬 분량의 공간을 차지했어.

또 짐을 싣는 받침대는 짐의 양보다 두 배는 넘게 쌓으니

배로 곡식을 옮긴다 하더라도 많은 양을 운반할 수가 없었지.

게다가 반드시 나무를 엮어서 그것을 바닥에 깔고 싣는다 하더라도

아래쪽에 실은 곡식은 물에 젖거나 썩을 염려가 있었지.

또 배에는 난간도 없고

조금만 방심하면 그냥 빠지지.

창고가 따로 없으니

사람의 몸이나 물건이 뒤엉켜 뱃바닥에 같이 있을 수밖에.

끼이잉

사람이 배에 앉을 때에는 싸리나무 가지로 엮은 똬리를 깔고 앉아야 했어.

이게 얼마나 울퉁불퉁하고 까칠한지 편하지가 않아.

안 깔면 앉을 수가 없고… 척척하니까!

하루 동안 배를 타고 나면 엉덩이가 얼마나 아픈지 며칠 동안 걸을 수도 없다니깐.

배를 정박시키는 곳에는 강변과 배를 연결하는 가교(假橋)를 놓지 않았어.

그래서 사람을 태우거나 내리려면 벌거벗은 사람들이 물에 들어가

돈을 받고 등에 태워 내렸지.

말은 펄쩍 뛰어 배에 올라가게 했는데,

다리를 놓아야만 할 높은 곳을 그대로 펄쩍 건너뛰게 하다 보니

다리가 부러지는 말도 많았지.

오죽하면 말을 팔 때 '배를 잘 타는 말'이라 해 높은 값을 매기기까지 했을까.

이것은 배를 옮겨 탈 수 있도록 가로로 널판을 설치하지 않았기 때문이지.

현재 제주도에서 공물로 바친 말들이

서울에 와서는 수척하게 마르다가 죽는 경우가 많아.

그것은 배 안이 평탄하지 않기 때문에

옮겨 오는 동안 말을 꽁꽁 묶어 두어야 하기 때문이야.

말의 성질을 억지로 꺾어 묶어 두니

이것을 참지 못하고 병들고 마는 거지.

하지만 중국에서는 일본 오키나와에서 운반해 온 말이 멀쩡하게 팔리고 있더라고.

일본 말이 제주도에서 온 말과 같은 처지라면 어떻게 시장에서 팔릴 수 있겠니? 분명 저들에게는 올바른 운송방법이 있었던 거야.

여기서 잠깐…! 진짜 우리나라의 배가 이리 형편없었냐고?

그렇게 생각하면 곤란하지.

우리나라는 삼면이 바다로 둘러싸여 있어서 예부터 조선기술이 발달해 있었어.

저 유명한 해상왕 장보고와 고려시대에 최무선이 개발한 신기전*이나 화포를 장착한 군함을 바다에 띄울 수 있었던 것이 바로 그것을 증명하지.

*신기전 – 로켓 추진형 화살.

임진왜란이나 정유재란 때 활약한 이순신의 거북선까지 예로 들지 않아도 우리나라의 조선술은 세계 제일이었다고!

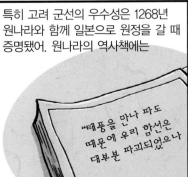

특히 고려 군선의 우수성은 1268년 원나라와 함께 일본으로 원정을 갈 때 증명됐어. 원나라의 역사책에는

"태풍을 만나 파도 때문에 우리 함선은 대부분 파괴되었으나

오직 고려의 군함은 견고하여 정상적으로 전투 임무를 수행했다."

라고 기록되어 있어. 고려의 기술이 어느 정도였느냐 하면

아메리카를 발견한 콜럼버스가

최고의 기술로 만든 배로 항해를 했는데

그때(1492년)의 배수량이 150톤이었다고 해.

하지만 그보다 200년 전인 1268년 우리 고려는 원나라의 요청으로

배수량 500톤의 배 300척을 단 4개월 만에 만들어 냈다는 기록이 있는 것만 봐도 우리의 조선술이 얼마나 우수한지 알겠지?

그렇다면… 어째서 이렇게 발전했던 우리의 조선기술이 조선시대에 와서 그렇게 낙후할 수 있었느냐 말이지!

바다로 둘러싸여 있으니 배를 띄울 만한 큰 강도 많았을 텐데.

축적해 놓은 조선기술은 주로 군선 위주로 맥을 잇고 있었어.

교통·물류는 육상으로!

사람들이 왕래하거나 물류를 유통하기 위한 배는 대중화하지 못했지.

조선 중기까지만 해도 조세나 공물을 운반하는 조운선 등이 항구도시를 다니며 번화한 모습을 보였지만

상업이 퇴보하고 경제적 어려움이 지속되자 물류의 흐름도 막히고 없어져 버린 것이지.

그러던 시기에 박제가가 중국에 가서 본 청나라의 배는 정말 으리으리했던 거야.

박제가는 뼈저리게 깨달았지.

기술의 진보는 멈추면 정지가 아니고 곧바로 퇴보로 이어지는구나!

첨단 기술을 보유했다 하더라도

상용화하지 못하고 서민이 혜택을 조금도 누릴 수 없다면 이 어찌 통탄스러운 일이 아니겠는가!

선생님, 중국의 배는 우리나라와 다르게 생겼나요?

그렇다네. 중국의 배는 화려하게 치장을 하고 있었고,

세로로 긴 널판과 가로로 짧은 널판을 사용해서,

바닥을 거울처럼 반듯하게 깎아서 겹쳐 놓았더라고.

널판 사이와 틈에는 유회라고 해서

기름과 시멘트, 아스팔트의 재료를 섞은 것을 발라 꼭 맞아 끼이게 만들었어!

하루는 내 친구 이덕무와 함께 중국 노하에서 하유성이라는 청나라 사람을 만났네.

노하는 남쪽의 바다와 통하고 있어 모든 배가 이곳에 모이는데

그 모습이 100리 사이에 돛을 단 배가 대나무 숲의 대나무보다 더 빽빽하게 차 있어 진풍경이었지.

하유성이 탄 배는 크고도 아름다웠어.

우리가 그 배에 올라가 봤더니, 배의 길이는 10여 길*이나 되더군.

배마다 각각 면포, 겹옷, 주머니를 가마니로 헤아려 싣더군. 그 물건을 작은 배에 옮겨 실어 절강, 산동, 운남, 귀주 등지로 운반할 모양이더라고.

하유성이란 사람은 좁쌀 30만 석의 운송을 감독하고 있었지.

배는 정말 화려했어. 무늬 창을 달고 있었고, 채색을 한 다락집이 높다랗게 우뚝 솟아 있었어. 그 안에는 내실이 있고, 위에는 다락이,

*길 – 길이의 단위로서, 한 길은 대략 3미터 가량.

내실 안을 들여다보니 그림과 액자, 휘장과 금침대가 있었고, 스며 나오는 향기가 깊고 아늑한 느낌을 주었어.

구불구불 가로로 막혀 있어 길이가 얼마나 되는지 가늠할 수가 없었지.

안에서 숨바꼭질해도 되겠네그려…

끄덕

배에 올랐을 때 부녀자들이 깊숙한 곳에서 우리를 쳐다보고 있었는데, 수를 놓은 저고리에 보물로 장식한 비녀로 치장하고 있어 마치 선녀들 같더라고.

그런데 알고 보니 하유성의 가족들이라 하더군.

하하하핫~

하유성이 차를 내오라 하여 향을 피우고선 우리와 담소를 나누는데

커튼 너머 창밖으로는 가끔 갈매기, 구름과 안개, 누각과 사람들이 보였고, 모래사장과 강 언덕, 돛단배들이 나타났다 사라지곤 했지.

그때 나는 물 위에 있다는 사실을 까마득하게 잊어버리고, 마치 산림 속이나 화려한 궁궐에서 주변을 조망하는 듯한 느낌을 받았어. 이 정도라면 바람이 거세게 불어 파도가 높이 쳐서 만 리 뱃길이 때때로 위험하다 하더라도 바다에 배를 띄우고 멀리 여행하는 것을 싫어할 이유가 없지 않겠어?

그러니 배로 먼 곳을 여행하는 중국 사람들이 그리 많은 것이겠지.

와, 정말 근사한 광경이에요~

꼭 한번 타 보고 싶어요!

나루터를 오가는 데 쓰는 작은 배일지라도 난간 같은 가로 판자는 반드시 깔았어.

그래서 그곳에 사람이 걸터앉을 수 있었고, 몸이 젖지 않고 편안하게 배로 이동할 수 있는 거지.

대체로 저들의 배는 요사이 즐기는 장기판처럼 네모반듯하기가 일정했고, 우리 조선의 배는 윷판처럼 막 그려진 모양이라고 할까?

하지만 우리 조선에서는 배 타는 사람이 얼마나 되겠어요?

멀리 갈 일도 별로 없고, 괜히 뱃길 여행에 나섰다가 물결이 거세지면

배가 뒤집혀 죽기 쉬운데 차라리 배 같은 건 없는 게 낫지 않나요?

우리나라는 작고 백성은 가난하단 말이야.

이를 극복하려면 온갖 노력을 기울여 전답을 경작하고 현명한 인재를 등용하며

상인에게는 장사를 허용하고 장인에게는 일정한 혜택을 줌으로써

나라 안에서 이용 가능한 모든 방법을 사용해야 해.

그렇게 한다고 해도 그다지 넉넉하지 못할까 염려스럽다네.

하지만 여기에 그쳐서는 안 되고 반드시 먼 지방에서 산출되는 물건을 통상해야만 재화가 불어나고 온갖 쓸 만한 물건이 만들어지는 거야.

수레 100대에 싣는 물건은 배 한 척에 싣는 것에 미치지 못하고, 육로로 1천 리 가는 것은

배를 타고 1만 리 가는 것에 비해 편하지 않은 법이지.

따라서 통상을 하려는 상인은 반드시 뱃길로 가는 것을 중시한다네.

우리나라는 삼면이 바다로 둘러싸인 천혜의 조건이 있지 않은가?

서쪽으로는 중국과의 직선거리가 600리밖에 안 되고,

남쪽으로는 거의 중국과 맞닿아 있다고 봐야지.

그러나 조선이 건국한 이래로 거의 400년이 흘렀는데도

다른 나라와는 배 한 척 제대로 왕래한 적이 없으니 이것이 바로 한탄할 일인 것이네.

어린아이가 낯선 외국인을 보면 부끄러움에 삐쭉거리다가 결국엔 울음보를 터뜨리지.

이는 본성이 부끄러움을 많이 타는 게 아니라

외국인을 본 적이 없어 의심하는 마음이 들어 그런 것 아니겠나?

그렇듯 우리나라 사람은 쉽게 두려움을 느끼고

의심을 잘하는 경향이 있지.

이는 풍속과 기상이 우둔하고 재능과 식견이 트이지 못해서가 아니라

외국의 배들과 교류하지 않기 때문이라네.

지금 나라에서는 외국에서 들여오는 책도 읽지 못하게 하잖아요!

선생님 말씀은 조정의 정책과는 완전히 반대되는 의견입니다요!

그러다 의금부에 잡혀 가면 어떡해요?

언젠가 홍차를 실은 배 한 척이 표류해 남해에 정박한 것을 본 적이 있네.

온 나라가 그 홍차를 10여 년 동안 즐겼지만 지금도 여전히 남아 있다네.

배로 운반해 온 양의 대단함을 실감할 수 있지 않은가.

Black Tea

오늘날 무명옷을 입는 것과

백지에 글씨를 쓰는 것조차 풍족하지 않은 처지인데

만약 외국과 선박을 통해 통상한다면 어떻겠나?

상상해 보게. 비단옷을 입고 좋은 종이에다 마음껏 쓰면서 넉넉해지지 않겠느냔 말일세.

자기 나라가 부강해지길 바라지 않는 사람이 어디 있겠는가!

일본에는 중국의 붉은 양탄자를 비롯해 없는 물건이 없다더군.

왜놈들은 약삭빨라서 늘 이웃나라의 낌새를 엿본다네.

그래서 우리나라와 교역하기에는 적절하지 않지.

그렇다고 베트남이나 미얀마 같은 나라는

뱃길이 험하고 너무 멀어서 그들과의 통상은 보통 어려운 일이 아니야.

그러니 배로 교역하기 좋은 나라는 오직 중국밖에 없는 거지.

"니하오~!"

중국이 우리나라를 좋아할 리가 있나요?

중국은 태평을 누린 지가 100년이나 되었어.

우리나라가 공손하고, 사악한 마음을 품지 않는다고 판단하고 있으므로

북벌은 어찌 된 거요?

논리를 잘 펴서 교역을 요청하면 될 걸세.

일본과 다른 나라들 모두 중국과 교역을 하고 있습니다. 우리나라도 저들 나라 속에 끼고 싶습니다.

이렇게 한다면 저들은 반드시 우리를 의심하지 않고 허락해 특별한 일이 일어날 것을 우려하지 않아도 되지.

청-조선 해상교역 활성화

그렇게 하여 나라 안의 재능이 빼어난 장인을 모아 선박을 만들되, 중국의 선박 제조술을 채택해

견고하고 치밀하게 만들기를 애쓰면 금방 부유해질 것이네.

지금도 황해도에서는 4월이면 중국 배가 해삼을 채취해

8월에 돌아간다고 들었네.

저들을 막을 수 없다면 차라리 항구를 개방해 저들을 유치하는 것이 현명한 일이지.

만날 불법조업 하지 말고 항구에 들어와서 떳떳하게 거래하자!

조선해경

그러면 저들의 선박 제조술을 배우는 것이 어렵지 않을 거 아닌가? 또 정기적으로 그들을 초청하는 것도 좋겠지.

그들을 해마다 10척씩 불러 오되, 전라도와 충청도 사이에 한두 번 정박하게 한 다음

삼엄하게 경비를 서서 다른 우환의 발생을 막으면 되지.

배에 올라 교역할 때는

와자지껄 떠들거나 물건을 함부로 가져감으로써 먼 곳에서 온 손님들에게 비웃음과 모욕당하는 일이 있어서는 안 되겠지?

또한 배 주인에게 후하게 대접하는 것도 잊으면 안 되고.

이렇게 한다면 굳이 우리가 그들에게 가지 않아도 저들이 스스로 우리를 찾아올 거란 말이야.

아, 어제 내륙에서 정말 좋은 비단이 들어왔는데 말이지요~.

아, 그래요?

그러면 우리는 저들의 기술과 예능을 배우고 풍속을 질문함으로써 우리나라 사람들의 견문을 넓히고 천하가 얼마나 넓은지 알게 될 것 아닌가.

중국 문화관

그렇게 한참이 지나 국력이 강해져 백성의 생활이 안정된 뒤에는 점차 다른 나라와도 통상을 맺을 수 있지 않겠느냐 말이지.

음~맞아요!

그래도 당장 우리 마을에 흉측한 중국 사람들이 왔다갔다 한다는 것은

상상할 수도 없는 일이에요!

만약 바다에서 표류하던 외국인이 연해의 여러 고을에 정박하는 경우가 있으면

그 배에는 배 만드는 장인과 다른 기술자가 반드시 있을 거야.

그들이 좋은 바람을 기다리며 머무는 동안 재빨리 재주 좋은 장인으로 하여금

그들의 선박제도를 모방해 배우게 하고

배 만드는 기술을 습득하게 한 다음 돌려 보내도 무방할 것이야.

배운 만큼 그 외국인들을 잘 접대해 그들이 다시 오고 싶은 나라로 만들면 얼마나 좋냐고.

KOREA!

그런데 배우기는 고사하고 저들이 배를 버리고 육로로 돌아가면 즉시 지방관에게 명해 배를 불태우라고 하니 이것이 도대체 무슨 까닭이란 말인가!

음, 듣고 보니 우리에게 큰 득이 될 수 있는데, 여태껏 우리는 외국인들을 너무 적대시한 것 같아요.

선생님 말씀처럼만 한다면 기술도 얻고 좋은 인상도 주고 일거양득인데 말예요.

그렇지. 우리가 동북아시아를 호령하던 해상왕국의 후예라는 것을 늘 잊지 말아야 해!

끼익

끼익

제9장 벽돌로 세상을 뒤덮어야 하지

마천루
메트로폴리스
메가시티

그리고 빌딩 숲에 초호화 아파트….

이건 모두 현대의 서울을 나타내는 표현들이야.

아주 높은 빌딩이라도 지진이나 태풍에 끄떡없는 최신 건축법으로 지어져 편안하고 안전하게 지낼 수 있지.

지금은 시골 집들도 전부 현대화되어 민속촌이나 문화재 보존지역이 아니면 초가집은 사라진 지 오래되었지.

하지만 300년 전, 옛 서울 한양은

한 나라의 수도이기는 했지만 화려한 건축술과는 거리가 먼 모습이었어.

짚으로 지붕을 얹고

흙으로 담을 쌓았는데

크고 튼튼하게 지을 수가 없어서 작게 지어도 허물어지기 쉬웠대!

1천 호가 사는 큰 마을이라도

반듯하고 살 만한 집은 한 채도 찾아볼 수가 없었어.

당시 우리 조상님이 어떻게 집을 지었는지 알려 줄까?

평탄하지 않은 언덕에다가 땅을 고르고

다듬지도 않은 나무로 기둥을 세우고

새끼줄로 기둥과 들보를 엮어 만들지.

그것이 기울든 똑바르든 상관없이 흙손*을 이용하지도 않고 손으로 진흙을 바르는 거지.

*흙손 – 이긴 흙이나 시멘트 따위를 떠서 바르고 그 표면을 반반하게 하는 연장.

그러니 어느 부분은 두텁고 어느 부분은 얇아서

오래되면 구멍이 송송 뚫려 찬바람이 들어오지.

문에 틈이라고 생기면 개가죽을 잘라 못으로 박아 놓으니 그 못이 튀어나와 옷이 찢어지기도 하지.

때로는 짚을 머리 땋듯이 땋아서

그 틈에 눌러 붙이기도 하지만 엉성하기가 짝이 없지.

구들장은 울퉁불퉁해 앉거나 누워 있으려면 늘 몸이 비뚤어지지.

불을 때면 연기가 방 안으로 들어와 숨이 꽉 막힐 지경이라고.

문창의 종이가 찢어지면 해어진 버선으로 막아 두니 보기가 아주 흉했지.

이렇게 집들이 형편없는 것은,

백성들이 올바르게 집 짓는 방법을 배울 기회가 없었기 때문이야.

건축 박람회

살아 오면서 눈으로는 반듯한 것을 보지 못했고,

이정도면 직선이지~

손으로는 정교한 기술을 익히지 못했지.

벽도 뭐 대~충!

온갖 분야의 장인이나 기술을 가진 사람들도 그들 가운데 배출되므로

모든 일이 형편없고 거칠며, 가면 갈수록 그 습관에 젖어 버린 것이지.

우리가 집 짓는 시간이 갈수록 줄어 드네그려~

일단 습관이 이렇게 형성되면,

아무리 훌륭한 기술과 높은 지혜를 갖춘 사람이 나타난다 하더라도 기존의 풍속을 깨뜨릴 방법이 없는 것이라네.

그렇다면 어떻게 해야 하는 건가요?

다른 나라에서 배우는 것 이외에는 방법이 없는 거지.

현재 서울에는 간간이 화려하고 사치스러운 저택이 있는데, 그 집들도 대청마루나 구들장은 바둑판을 반듯하게 놓을 만한 곳이 한 군데도 없을 정도로 울퉁불퉁하다네.

반드시 바둑돌을 가져다가 바둑판 다리 하나에 괴어야만 바둑을 둘 수 있는 처지니, 이 얼마나 우스운가?

민간의 작은 집은 서 있을 때도 머리를 죽 펼 수 없을 만큼 낮고, 누울 때는 다리를 쫙 펼 수 없을 정도로 좁다네. 이렇게 불편한 곳에서 어떻게 마음껏 휴식을 취할 수 있겠는가?

이런 집 100호가 있다 하더라도 중국 집 10호를 당해 낼 수 없다는 건 당연한 일 아닌가?

또 도랑물이 막혀 있어 변소에는 늘 분뇨가 가득하고

비가 조금이라도 오면 물이 부엌으로 넘쳐 들어오지!

그래서 개울 옆에 사는 사람들은

장마에 개울물이 범람하지 않을까 걱정하며 잠도 제대로 못 이룰 지경이야.

이것은 왜 그렇겠는가? 바로 도랑과 하천에 제방을 쌓지 않았기 때문이네.

또 땅의 형세가 높은지 낮은지를 따지지도 않은 채, 물이 말라 모랫바닥이 조금 솟아오른 곳이라면

바로 집터를 잡으려고 하는 것도 잘못이네.

〈집 터〉
내가 먼저 찜했음

경계를 침범해 집을 짓기 때문에

시냇물이 막히기가 일쑤고, 도로가 제대로 통하지 못하게 되지.

이런 지경에 이르니 가옥 제도의 정교함과 거침은

조선의 家屋

굳이 말하지 않아도 알 수 있지 않은가!

이것은 모두 백성의 어리석음이 아니고 국가의 제도가 옳지 않음을 짐작케 하는 것이네.

일본의 주택만 해도 위로는 일본 왕의 집과 시골의 집이 한결같아 차이가 없다고 들었네.

만일 어느 집에서 부족한 것이 있으면

시장에서 아무것이나 사 와도

자기 집에 딱 들어맞아 보수를 쉽게 할 수가 있지.

만약 이사를 가더라도 장지문이나 탁자 같은 물건은 사다가 붙여 놓으면

하나의 물건을 잘랐다가 붙인 것처럼 서로가 딱 들어맞는다네.

규격이 이와 같이 한결같아

백성은 바람과 물 샐 틈이 없는 집에서 안식을 누리니

바다 가운데 섬나라에 이런 태평성대가 있는 줄은 누가 생각이나 했겠는가?

그럼 중국의 집들을 어떻게 지은 것인지 알려 주세요. 저희도 한번 배워 볼게요.

중국의 집은 모두 '한 일(一)' 자로 배치되어 있어, 서로 연결되거나 굽지 않았다네. 중앙에 집이 있고 양옆으로 작은 집을 지었지.

양옆의 작은 집을 곁채라 하는데, 제사를 지내는 용도로 사용하거나 부엌 칸으로 이용하지.

그런 곁채는 좀 부유한 집에서는 필요에 따라 세 겹 네 겹까지 짓기도 하더군.

대문은 한복판에 내어 모든 문을 활짝 열고 멀리 바라보면 사람들은 점점 작아져 보이고 문의 그림자는 점점 뾰족해 보이더군.

이처럼 멀리서도 잘 보이게 문을 내놓으니

보기가 좋았어.

대략 집 한 채의 크기는 4~5칸이고, 넓이는 5량 정도지.

집 한 칸의 크기는 우리나라 칸 수에서 3분의 1을 더한 정도로 넉넉해 보였어.

또 각 집 칸마다 중문이나 작은 문을 따로 달았더군.

북학의

그렇게 하면 햇볕이 창살을 거치지 않고 곧장 들어와 반대로 하는 것보다 두 배는 환할 것 같아요!

또 먼지가 바깥 창살에 쌓이지 않으니 여러 모로 이익이 많다네.

이것은 자그마한 일에 불과하니

반드시 관찰해 똑같이 해야 하는 것이지.

똑딱

개인에 따라 이러기도 하고 저러기도 하지 말고

똑같이 이점을 따라 하게 하면 모두 편안해질 수 있는 거야.

올바른   집짓기

우리나라에는 시냇물에 씻겨 반들반들해진 주먹 크기의 조약돌이 많지 않은가?

이 돌은 둥글고 미끈거리기 때문에 쓰임새가 별로 없어 보이지.

하지만 중국 사람들은 이런 돌을 주워

계단과 계단 사이에 잘 펼쳐 놓아 뜰을 만들어 놓았더군.

발로 디딜 때 편안하게 하기 위함이지.

추녀의 낙숫물이 떨어지는 데 놓기도 하고

특히 작은 조약돌은 가로세로를 적당하게 깔아서, 꽃과 새 등 각양각색의 모양을 만들어 펴 놓기도 하니, 집의 운치를 더해 주는 것으로 이보다 더 저렴하고 값진 것도 없을 걸세.

우리네 집과는 달리 구석구석의 이치가 따로 있으니 정말 놀랍네요!

그럼 선생님께서 말씀하신 대로만 하면 집을 튼튼하게 지을 수 있나요?

하하! 내가 너무 서둘러 말한 것 같군. 집을 짓는 데 가장 중요한 것은 뭐니뭐니해도 바로 이 요술쟁이 벽돌이라네!

벽돌은 크고 작게 하기를 마음대로 할 수 있지.

벽돌 4개를 쌓으면 정사각형이 나오고, 세로로 3개를 쌓으면 직사각형이 나오지.

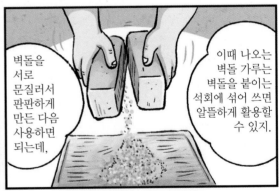

벽돌을 서로 문질러서 판판하게 만든 다음 사용하면 되는데,

이때 나오는 벽돌 가루는 벽돌을 붙이는 석회에 섞어 쓰면 알뜰하게 활용할 수 있지.

중국은 땅 위로 5~6길과 땅속으로 5~6길은 모두 벽돌이라고 할 만큼 벽돌이 건축에 많이 쓰인다네.

벽돌을 위로 높게 쌓은 건축물에는 누각, 성곽, 담이 있고, 깊이 파서 만든 건축물에는 교량과 무덤, 운하와 제방이 있지.

벽돌로 세상을 뒤덮어야 하지

벽돌이 중국 천하를 옷처럼 두르고 있어 백성은 수재나 가뭄의 피해,

도적의 침입, 썩거나 물에 젖는 일,

건물이 기울고 무너지는 것을 염려하지 않아도 되지.

이 모든 것이 벽돌의 힘이라네.

벽돌의 효과가 이 정도인데도 우리나라는 벽돌에 대해 알려고 하지도 않고,

엉성한 건축법을 내버려 두고만 있으니 그 손실이 얼마나 막대한가?

그런데 우리나라도 벽돌을 만들 수 있을까요?

허허. 우리나라에서 기와 정도는 만들 수 있지만

벽돌은 만들 수 없다고 생각하는 사람이 많은데 전혀 그렇지 않다네.

둥글게 만들면 기와가 되고, 네모나게 만들면 벽돌이 되는 것이니 차이가 없는 것이지.

여기서 잠깐! 나는 우리 조선에 벽돌이 없다고 했지만,

그건 비유적인 표현이고~

옛날 백제의 무령왕릉 고분을 보면 벽돌로 만들어진 전축분(벽돌무덤)이라는 걸 알 수 있어.

벽돌로 건축할 수 있는 기술도 있고, 전통도 있었지만

내가 무엇보다 가슴 아파한 것은 백성이 집이나 창고를 지을 때 실용적으로 그 기술을 사용할 수 없다는 거였어.

無用之物

내가 주장했던 벽돌의 사용은

정조 때 만들어진 수원화성을 통해 성공적으로 인정받았지.

벽돌 건물은 견고성, 미적 아름다움, 경제적 이익이라는 삼박자를 모두 갖춘 건축양식이었던 거야. 그 뒤 조선 말기 고종 때는 벽돌로 지은 건물이 많이 보이기 시작해.

중국의 키 작은 담이나 벽조차도 으리으리한 성과 차이가 나지 않는 이유는 오로지 벽돌을 사용했기 때문이라네.

길을 끼고서 양편에 집을 짓는데, 그 집의 벽면은 모두 벽돌로 쌓았지.

길 양 끝에는 마을 공동의 문을 만들어 놓고, 그 위에 누각을 만들어 문을 닫아 마을을 지킨다네.

이 문을 열고 지나야만 마을로 들어갈 수 있기 때문에 도적도 경솔하게 공격해 들어올 수가 없지.

이렇게 좋은 게 벽돌이라면 당장 우리 집만이라도 벽돌로 지어 볼래요. 벽돌을 구워야겠어요!

허허~ 그건 옳지 않네.

일상생활에 긴요한 것들은 반드시 서로 도움을 주고받으면서 써야 하네.

"상부상조"

지금 나라 안에서 벽돌이 사용되지 않는 실정인데 나만 홀로 벽돌을 만든다고 한다면

벽돌을 굽는 가마도 내가 만들어야 하고,

벽돌을 붙이는 석회도 내가 만들어야 하고,

벽돌을 실어 나르는 수레도 내가 만들어야 하고,

그 밖에 수많은 기술자들이 나눠 해야 할 일을 내가 모두 직접 해야 한다면 벽돌집을 지어서 발생하는 이익이 얼마나 되겠는가?

완전 적자네~

흙이나 나무가 풍족한 시골이라면 혹시 가능할까, 어려운 일이지.

항복~

그럼 어떻게 해야 하나요?

벽돌 사용을 권장하고자 한다면 반드시 백성이 구운 벽돌을

관청에서 후한 값으로 구매해야 하네.

그렇게 한다면 10년 내에 나라 안에서 모두가 벽돌을 사용할 것이고,

그러면 벽돌이 흔해 벽돌값을 싸게 만들려고 애쓰지 않아도 저절로 값이 내려갈 것이네.

다른 물건도 모두 벽돌과 마찬가지야.

이것을 도입해 널리 이익을 얻게 하는 것은 백성 위에 군림하는 자의 역할이지.

서양에서는 벽돌을 구워서 가옥을 짓기 때문에

천 년이 지나도 보수하지 않는 건물이 있다고 들었네.

네? 천 년이오?

벽돌을 사용하는 일은 건축에 드는 비용을 최대한 절약하는 방법인 셈이지.

이렇다면 후세의 왕들이 궁궐을 지을 때에도 토목공사로 백성의 힘을 고갈시키는 일이 다시는 없을 거야.

그런 어마어마한 걸 짓는다면 돈과 인부가 많이 필요할 것 같아요. 가난한 우리나라에서 가능한 일일까요?

우리나라 사람들은 아침에 저녁 때의 일을 걱정하지 않는 격이라네.

그 결과 온갖 기술이 뒤떨어져

날마다 해야 할 일이 번잡하게 놓이게 되지.

오늘의 공사: 무너진 지붕

9

그로 인해 백성의 몸과 마음은 지칠대로 지치고,

농사는 언제 지을 거예요, 주인님~

나라 역시 변치 않고 유지되는 것이 없지.

매일매일이 보수 공사중!

그러한 근본적인 원인은 모두 임시적인 대처에서 나온 것이네.

임시적인 방편이 백성을 더욱 가난하게 만들고,

국가의 재정을 고갈시키는 해로움을 끼쳐 나라 꼴이 우습게 돼 버렸다는 사실을 모르면 안 되네.

가령 벽돌을 사용해 담을 쌓는다고 할 것 같으면,

수백 년 동안 담이 붕괴되지 않을 것이고,

그렇다면 나라 안에서 담을 다시 쌓는 공사는 안 해도 되니 이득이 많을 것이야.

예산 절감 : 담장보수

나머지 일도 이 일처럼 해준다면 어찌 되겠는가?

일석
이조

그러나 지금 우리나라에서는 담이 한 달에 한 번씩 붕괴되고

집은 1년에 한 번씩 부서지고 있으니 그 근본적인 원인이 무엇인지를 깨달아야 하네.

정말 근본적인 문제를 해결해야 한다는 말씀이 옳은 것 같아요!

우리 집도 매년 지붕이 새는 걸 고치느라 정말 힘들거든요!

그렇게 좋은 것이라면 벽돌로 또 무엇을 지을 수 있나요?

바로 성이지!

城
재 : 성

성이라고 하는 것은 적을 방어하는 설비인가,

아니면 적의 침입을 받았을 때 버리고 도망가는 설비인가?

후자라면 모르겠거니와 그렇지 않다면 우리나라에는 성이 하나도 없다고 말할 수 있네.

아니, 무엇 때문에 그렇게까지 말씀하시나요?

당연히 벽돌을 사용하지 않았기 때문이지.

예? 벽돌 이오?

벽돌보다는 바위가 훨씬 튼튼하잖아요!

벽돌로 세상을 뒤덮어야 하지   153

그까짓 흙으로 만든 것이 바위에 비할 수 있나요? 지금 성은 다 바윗돌로 단단히 세웠는데 뭘 걱정하시나요?

바위 하나만 놓고 보면 당연히 벽돌 하나에 비해 훨씬 단단하지.

그러나 바위를 쌓아서 만든 것의 견고함은 벽돌을 쌓아서 만든 것의 견고함에 미치지 못한다네.

바위는 서로 접착이 잘 되지 않는 반면, 1만 개의 벽돌은 회를 바르기만 하면 전체가 하나로 합쳐질 수 있기 때문이지.

또 바위는 언제나 사람이 깨고 다듬는 노력을 들여야 하기 때문에 여기에 얼마나 많은 힘이 들어가는가?

그러나 벽돌은 마음대로 만들어도 네모반듯하지 않은 것이 없지.

또 바위는 크기가 일정하지 않아

며칠을 나누어 일을 시켜도 사람의 힘을 균등하게 조절하기가 어려운 법이지.

오늘 작업:
바위 큰거 한개!

그러나 벽돌의 경우에는 치수가 같기 때문에

인부가 근면하게 일하는지 태만하게 일하는지가 바로 나타나지.

오늘일한 양!

무거운 바위를 겹쳐 놓으면 겉으로 보기에는 웅장한 듯하지만

북학의

실상은 이가 맞지 않아서

그 가운데 하나라도 빠지게 되면

성 전체가 무너지는 것을 막을 도리가 없어.

와르르르르

성이 조금이라도 높으면 붕괴하기가 더욱 쉽지.

하지만 궁궐의 담을 고쳐서 벽돌로 쌓는다면 그에 드는 경비가 너무 커서 어려울 것 같은데요?

비천한 백성이 초가집을 엮는 데 매년 들어가는 비용이

기와와 벽돌을 얹어 짓는 것보다 더 많이 들어간단네.

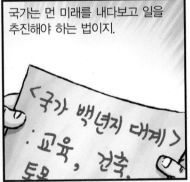

국가는 먼 미래를 내다보고 일을 추진해야 하는 법이지.

〈국가 백년지 대계〉
· 교육, 건축,
토목

잠깐은 수고가 되겠지만 오랫동안 편안하게 지낼 방법을 택하는 편이 막대한 이익을 얻는 법이지.

지당하시옵니다, 전하~

수레를 먼저 만들고 벽돌을 만들어, 온 나라의 집과 성을 쌓아야 하네.

그래야 백성과 나라가 편안해 질 수 있다는 것을 사람들은 왜 모른단 말인가!

정말 벽돌로 지으면 튼튼하고 멋진 집을 지을 수 있을 것 같아요!

제10장

목축이 나라를 부유하게 만들지 - 농사는 소에, 군대는 말에, 음식은 돼지에 달려 있다

요즘 시골 농가를 한번 둘러볼까?

양촌리 →

집 마당에는 소 한두 마리가 매어져 있는 건 기본이고,

닭을 기르는 집, 돼지를 기르는 집,

꿀 꿀 꿀

꼬꼬댁 꼬꼬~

젖소를 기르는 집들이 빼곡하게 들어차서 동네를 이루고 있잖아.

음머~

그뿐 아니라 오리농장, 사슴농장, 타조농장까지 시골 마을엔 작은 동물원을 연상시킬 만큼 가축들이 다양하고 많지.

하지만 조선시대에는
이렇지 않았네.

농가에서 도무지
가축을 기르지 않아서
내가 정말
안타까웠다고.

목축이란 나라에서 가장 중요시해야
할 큰 정책의 하나야.

牧畜 (목축)
소, 양, 말, 돼지 같은 가축을
많이 기르는
일.

농사가 흥하고 망하고는
소를 기르는 데 달려 있고

군대가 쇠하고 흥하기는 말을
훈련시키는 데 달려 있으며,

음식을 지어 먹는 일은
돼지, 양, 거위, 오리를
키우는 데 달려 있는
것이기 때문이야.

하지만 우리나라 사람은 이렇게
중요한 목축에 대해 특별한 대책이
없었어.

우리나라는 산이 많고 국토가 좁기
때문에 동물들을 방목해 기르기가
힘들어.

그러다 보니 목축은 큰 관심을
끌지 못했지.

음식으로는 주로 소고기를 먹으려 했고,

말은 주로 제주도 지방에서만 기르고 있었고,

양은 우리나라 땅에 적합하지 않다고 해서 개인적으로 기르는 사람이 거의 없었어.

양을 치면 국가가 지원하겠음!

가축을 다양하게 늘리면 영양학적인 이익뿐 아니라

농사나 군사, 교통 면에서 다양한 이익을 얻을 수 있는데도 그것을 포기하며 살고 있었던 거야.

혹시라도 돼지 너더댓 마리를 몰고 가는 사람은

돼지 귀에 구멍을 뚫어 끌고 가면서도 돼지가 달아날까 마음을 졸이니, 이래서야 제대로 동물을 기른다고 할 수 있겠어?

사정이 이렇다 보니 가축을 다루는 기술은 점점 쇠퇴하고 있지.

가축을 기르는 방법을 전수해 주거나 훈련시키지 않으니

국가는 그로 인해 점점 가난해지는 거고.

목축

중국은 대대로 수렵과 목축의 전통이 있으니 그들에게 배울 것이 많아.

그럼 중국에서는 가축을 어떻게 기르는지 한번 볼까?

중국의 요동, 요서 지방 2천 리에는 가축의 울음소리가 번갈아 들리고 가축이 떼를 지어 다닌다네.

도보로 다니는 사람들이 거의 없어 거지들조차도 나귀를 끌고 다닐 정도라고.

조금 부유한 집은 기르는 가축들이 제각기 10여 종에 수백 마리가 넘네. 말, 노새, 나귀, 소가 각기 10여 필이고, 돼지, 양이 각각 수십 필이며

개도 몇 마리에다가 간혹 낙타도 한두 마리 키우는 집도 있고 닭, 거위, 오리 같은 가금류도 수십 마리라네.

또 새장에다 집비둘기, 종달새 같은 멋진 새를 기르며 애완동물로 삼는 것을 즐길 정도이지.

하하핫~ 믿기지 않는 가축 사랑 아닌가!

청나라의 여진족은 광야에서 동물들과 같이 생활했던 수렵민족이었기 때문에 가축 기르기에는 다들 도사였어.

그 많은 동물들을 뭘 먹여 길러요? 동물 먹일 양식이 어디서 나오나요?

목축이 나라를 부유하게 만들지

걱정할 필요 없다네. 내가 관아에서 말을 키우는 '관마산'이란 농장에 한번 가 본 적이 있다네. 말이 거의 산을 뒤덮다시피 했지.

수천 마리의 말들을 들에다 풀어서 키우고 있었다네. 눈 오는 날에도 제 마음대로 다니며 물 마시고, 풀을 뜯어먹도록 내버려 두지. 그 말을 모두 마구간에 가두고 곡식을 주려고 했다면 제 아무리 재물 많은 부자라 하더라도 배겨 내지 못했을 걸세.

그렇군요. 하지만 집에서 기르는 가축은 양식을 따로 주어야겠지요?

그렇지. 때때로 일을 시키는 가축도 있으니

일하는 중요도에 따라 사료를 더 주기도 하고, 덜 주기도 해야지.

중국에서 보니 하루에 먹는 사료의 양이 때로는 두 말(斗)에 이르기까지 하는데,

우리나라처럼 쌀겨나 쭉정이, 술 찌꺼기 등 사람이 먹지 않는 것들이 아니라

보리, 수수, 콩 등을 소금으로 간 맞춘 것이더군.

가축 사료가 사람이 먹는 곡식이라는 것이 인상적이네요!

우리나라처럼 곡식 찌꺼기를 먹고서야 힘을 낼 수 없지 않은가?

동물에게도 에너지를 낼 수 있는 제대로 된 먹이를 주어야 하는 거네.

하지만 사람이 먹을 것도 없는데 어찌 동물에게 곡식을 준단 말입니까? 중국 말은 우리나라 말에 비해 반밖에 안 먹는다고 하던데, 그래서 가능한 것 아닌가요?

허허. 그것은 잘못된 소문이네. 중국은 그만큼 곡식이 풍부하기 때문에 말에게 곡식을 먹이는 것이 그다지 어렵지 않다는 의미로 들어야 하네.

집에 동물이 많으면 난장판이 될 거예요. 동물들을 일일이 어찌 불러 모으고 돌볼까요?

그렇지 않네. 내가 본 바에 의하면, 해가 질 때 농부 한 사람이 들로 나가 길이 잘 든 말을 쫓아가 타고서 한 번 소리를 질러 부르고 막대기를 휘두르면

말과 다른 가축이 모두 그를 따라서 집으로 들어가더군.

무리가 어지럽게 흩어지지도 않고 놀라서 달아나지도 않으므로 10여 세 어린아이도 그 일을 충분히 할 수 있었네.

가축을 모는 사람이 제각기 수백 마리를 몰고 오다가 길에서 다른 무리와 만나면 갑자기 뒤섞여서 제어할 수 없는 경우도 발생하겠지.

그러나 한 번 휘파람을 불고 채찍 치는 소리가 나면

동편으로 가던 가축은 동편으로, 서편으로 가던 가축은 서편으로 가던 길을 따라서 가지. 놀랍지 않은가?

동물을 전문적으로 많이 기르다 보면 이렇게 기르는 방법도 체득하는 법이외다.

또 중국의 소는 코를 뚫지 않네. 오직 남방의 물소만이 성질이 사납기 때문에 코를 뚫지.

코뚜레

간혹 우리나라도 소를 서북방 요동 지방의 시장을 통해 수입하기도 하는데, 조선 소는 콧잔등이 낮기 때문에 보기만 해도 바로 분간할 수 있지.

비록 소의 뿔이 못생기고 울퉁불퉁하나 바로잡으면 훤칠하게 만들 수가 있어.

털빛이 온통 푸른 종류도 있다고 하나 나는 본 적이 없네.

몸에 항상 오물이 말라붙어 갈라진 우리나라 소와는 달랐어.

??

당나라 한시에 '기름을 바른 수레는 날렵하고, 금빛 송아지는 살쪄 있도다!' 라는 대목이 있듯 소의 털빛이 윤기가 흘러 금빛이었단 말이지.

중국에서는 소의 도살을 금지하고 있었어.

수도 연경에는 돼지 고깃간이 72개고, 양 고깃간이 70개 있었지.

豚

羊

고깃간 한 곳에서는 날마다 돼지 300마리씩을 팔고 양 또한 마찬가지였어.

고기를 이렇게 많이 먹는데도 소고기를 파는 고깃간은 오직 2개밖에 없더군.

통계를 내 보면 우리나라에서는 하루에 소 500마리를 도살하고 있네.

커럭!

성균관과 서울의 행정부 안에 24개의 고깃간, 그리고 300여 고을의 관아에서도 빠짐없이 소를 파는 고깃간을 열고 있지.

작은 고을의 경우에는 날마다 도살하지는 않지만, 큰 고을에서는 하루에 두어 마리씩 도살하므로 결국은 날마다 잡는 셈이지.

국가의 제사에 쓰기 위한 것과

서울과 지방에서 벌이는 결혼, 연회, 장례,

활쏘기를 할 때 잡는 것과 법을 어기고 개인적으로 도살하는 것까지 모두 포함한 숫자지.

소는 열 달 동안의 임신 기간을 거쳐 새끼를 낳는데, 그 새끼는 세 살배기가 되어서야 다시 새끼를 낳을 수 있지.

몇 년에 한 마리씩 새끼를 낳는 소를 날마다 500마리씩 도살해서는 안 된다는 것이 뻔하지 않은가!

소고기 소비량

소의 증가량

이러니 소의 수가 줄어 들고, 품귀를 겪고 있는 건 당연한 일이야.

이런 지경이니 소 한 마리를 가지고 있는 농부가 드문 것이지.

항상 이웃 사람에게 소를 빌리고

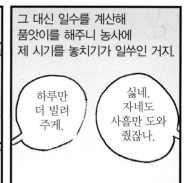
그 대신 일수를 계산해 품앗이를 해주니 농사에 제 시기를 놓치기가 일쑤인 거지.

하루만 더 빌려 주게.

싫네. 자네도 사흘만 도와 줬잖나.

그러므로 소를 일체 도살하지 않는다면, 더 이상 시기를 놓쳐 농사짓기 힘들다는 탄식은 나오지 않을 것이네.

식용이냐 농사용이냐

선택하라!

우리나라는 다른 가축이 없는데, 먹을 고기가 없잖아요.

그래도 고기 먹는 재미가 1년에 한두 번은 있었는데, 그 즐거움도 버려야 하나요? 너무 슬퍼요. 흑흑~!

에이, 이 사람들아! 이는 잘 몰라서 하는 말이야.

반드시 소의 도살을 금한 다음이라야 백성은 다른 가축을 키우기에 힘을 쏟을 것이고,

소는 농사 일에만 !

그러면 돼지와 양이 많이 번식할 수 있게 된다고.

고기를 먹지 말라는 말이 아니네.

히힛~

돼지 두 마리를 산 사람이 등에 지고 가다가 서로 짓눌려 죽었기에, 잡아서 팔았다고 한다면, 어떻겠는가?

반드시 다 팔지 못하고 남아 하룻밤 묵히는 고기가 있을 것이네.

그것은 사람들이 돼지고기를 즐기지 않아서가 아니고, 소고기가 너무 흔하기 때문이지.

돼지 고기

소고기

그래도 소고기 맛이 최고예요!

그리고 돼지고기나 양고기는 우리나라 사람의 식성에 맞지 않아 많이 먹으면 질병에 걸린대요.

돼지고기보다 맛있는 게 소고기라는 거 선생님도 잘 아시잖아요!

참 나! 어찌 그렇겠는가. 그 역시 그렇지 않네. 음식은 자꾸 먹어 습관이 들면 먹을 수 있는 법이지.

하핫, 느끼하군~

버터

그런 식이라면 돼지고기나 양고기를 먹은 중국 사람들은 모두 병이 들어야 하지 않겠는가?

율곡 이이 선생은 평생 소고기를 먹지 않았다고 하는데, 그분의 다음과 같은 말씀이 참으로 지당한 도리인 게지.

저들의 힘을 빌려 지은 밥을 먹으면서 또 그들의 고기를 먹어서야 되겠는가?

한편 우리나라에서는 말잡이가 반드시 말의 왼편에 서서 걷지. 하지만 중국의 말을 타는 사람은 말잡이를 두지 않고 혼자서 탄다네.

재갈에 고삐를 매 스스로 말을 몰되, 말의 성질에 보조를 맞추어 달리기도 하고 천천히 걷기도 하지.

또 말에서 내려 걷다가 말에 올라타는 일을 자주 반복해 말을 쉬게 하고, 늘 털을 빗질해 주기도 하고, 목욕을 시켜 냄새 나지 않게 청결을 유지해 준다네.

우리처럼 말잡이가 말을 끄는
것은 올바르지 않네. 말이란
사람을 태워서 걷는 데 힘들이지
않기 위한 물건이지.

히힝~
물건
이라니!

그런데 우리나라에서는 한 사람을 말에 태우고
또 한 사람은 고생되게 걷도록 하고 있네.
이렇게 사람에게 끌려다니다 보니

이제는 말도 한 번에 몇 리를 내달리거나
하루에 1천 리 길을 달릴 수가 없게 되었네.

전쟁터에 나가 적진을 내달린다고 할 때, 늘 말잡이에
끌려다니던 말은 위급함에도 누가 끌지 않으면 명령을
따르지 않아 전투에서 반드시 패하는 법이지.

절레
절레

말을 끄는 데에도 일정한 방법이 있건만 말잡이꾼이
자기가 갈 길을 골라 가느라 말을 험한 곳으로
집어넣는 경우도 있다네.

그러니 말 위에 탄 사람은
얼마나 불편하겠는가.

또 말잡이꾼의 손에 재갈이 잡혀
있으니 말고삐는 있으나마나한 것이
되어.

말이 놀랐을 때 아무리
제어하려고 해도 할 수 없지.

그리고 말에게 물과 먹이를 주는
방법이나 말을 달리게 하는 방법도
제대로 되어 있지 않네.

혹시 이건
먹여도 되지
않을까?

그... 글쎄요

아마 말에게 입이 있다면 분명
할 말이 많을 걸세.

당연
하지.
불편한 게
한두 가지가
아니라는
얘기지!

내가 중국에서 본 바에 의하면, 중국 황제가
조회를 하러 궁궐에 나갈 때

천 명의 관원은 모두 너 나 할 것
없이 궁궐 밖에 말을 놓아 두고
걸어 들어가더군.

그런데 놀라운 것은
그 말들을 모두 묶어 두거나
지키거나 하지 않았다는
것이네.

166 북학의

그런데도 수많은 말들이 모두 조용하게 머리를 한 줄로 나란히 한 채 자리를 바꾸는 법이 없더란 말이야.

조회가 끝난 후 밖으로 나온 관원이 자기 말을 찾을 때도 소란을 피우며 다투는 일이 없었어.

이 정도가 되어야만 행진할 때도 엄숙하게 하고 출입할 때도 조용히 할 수 있겠지?

그렇다면 그러한 이유가 어디에 있겠는가?

바로 평소에 말을 잘 길들였기 때문이지요.

말을 길들이는 일은 무신(武臣)의 일이죠. 우리나라는 군사 훈련에 문제가 있는가 봐요.

허허. 무신들만의 책임은 아니네.

활쏘기는 문과 무의 차이가 있겠지만, 말에는 문과 무의 차이가 있을 수 없네.

지금 문신(文臣)이 타는 말도 전투가 벌어졌을 때에는 전사가 탈 말이 된다네.

따라서 말을 길들이는 법은 문인과 무인 모두 배워야 하지.

文武 공통과목 〈승마〉

그렇게 한다면 군사를 고생시키지 않고서도 군사의 도구가 저절로 갖추어지는 셈이 된다네.

그런데 말은 무엇을 먹나요?

중국 말은 우리나라 말처럼 말죽을 먹이지 않더군.

마른 곡식에 소금으로 간을 해 볶아서 먹이는데, 그렇게 짠 음식을 먹임으로써 냉수를 마시게 하는 것이지.

말에게 물을 마시게 하는 이유는 오줌을 잘 누게 하려는 목적이네.

말이라는 짐승은 오줌을 잘 누면 병이 없기 때문이지.

우리나라는 소금이 귀해서 사람들조차 간을 해서 먹지 못하잖아요!

하핫, 그렇지. 하지만 중국에는 소금이 넘쳐나기 때문에 그게 가능하다네.

또 중국 말의 안장은 대단히 가볍고 편하다는 게 특징이야.

국가에서 해야 할 업무 중에 말에 관한 일이 가장 중요하고, 말에 관한 일 중에서도 안장이 가장 시급히 조정되어야 하네.

우리가 사용하는 안장은 너무 무거워서 사람의 무게를 능가하지 않는가. 그뿐인가?

중국 말의 안장은 발을 얹는 '등자'를 앞에다 늘어뜨렸기 때문에 말을 타고 앉으면 다리를 죽 펴고 앉은 것과 같아서 하루 종일 말을 타도 고통이 없지.

재갈과 안장 위에 얹는 담요 따위의, 말을 감싸는 도구가 거칠고 뻣뻣하여 말의 피부에 늘 종기가 나 있지 않은가? 우리의 습관을 버리고 안장 같은 도구를 이용해서 말에 무리가 가지 않게 해야 하네.

북학의

말을 먹이는 일도 마찬가지야. 통나무를 파내 만든 우리나라의 구유통은 만들기가 여간 어렵지 않다네.

그렇지만 중국의 구유통은 긴 널판 조각 3개를 합치고 양 끝을 막아 만들어 세 조각을 합할 수도 뗄 수도 있지. 위가 넓고 높이는 두 발 달린 밥상만 하더군.

객점(客店)*에서는 길가에 늘 구유통과 썬 볏짚을 늘어놓아 지나가는 사람들이 말에게 먹이를 주도록 배려했지.

말이 먹기를 마치면 먹인 시간에 따라 동전을 던져 주면 되는 것이네.

연경의 우물가에는 돌로 만든 구유통을 따로 설치하고는 대나무통으로 물을 끌어내 말이 마실 수 있게 하는 곳도 있더군.

*객점 – 오가는 길손이 음식을 사먹거나 쉬던 집.

그런데 중국에는 소와 말이 가장 흔한 동물인가요?

나귀도 있다네. 우리나라는 나귀가 귀한 짐승이지만 중국에서는 천한 가축이네.

중국은 당나라 때 사대부들의 사치를 막으려고 말을 타지 못하게 했어.

그래서 과거시험을 보러 가는 사람들이 모두 나귀를 타고 갔지.

그런데 우리나라에서는 나귀가 어찌 그리 귀할까요?

그것은 나귀의 힘을 사용하는 것이 극히 드물기 때문이라네.

어쩌다 한번 나귀를 타고 나갈 뿐이요, 다른 데 이용할 줄 모르기 때문이지.

중국에서는 물 긷는 일부터 시작해 연자방아 굴리는 일, 수레 끄는 일, 밭갈이 하는 일에 쓰는 나귀까지 있는데, 우리나라에서는 상상도 못할 일이지.

네? 나귀가 그런 일도 할 수 있나요?

그럼! 나귀가 얼마나 쓸모 많은 동물인지 알면 놀랄 걸세.

사람들이 나귀 부리는 법을 배우고 싶어도 그렇게 하지 못하는 이유가 있지.

그것은 나귀를 아껴서 그런 것이 아니라

나귀를 사용할 도구가 하나도 갖추어지지 못했기 때문이지.

물 긷는 물통에 귀가 없어서

반드시 귀를 뚫어 물통을 고친 다음에야 사용할 수 있는 것과 같은 이치지.

따라서 가난한 백성은 나귀를 기를 수가 없고,

나귀 ○○냥

그러다 보니 번식하는 종자가 갈수록 드물어진 것이지.

중국에서는 연자방아 돌리는 나귀는 가죽 조각으로 두 눈을 가린다네. 빙빙 돈다는 사실을 알지 못하게 하기 위해서야. 빙빙 도는 사실을 알면 현기증을 느끼지 않겠나?

물고기를 기를 때 섬을 만들어 주면 물고기가 섬을 빙빙 돌면서 하루에 천 리 길을 헤엄치는 줄 착각하게 하는 것과 같은 이치라네.

물 길을 때도 나귀를 사용하네. 물통은 대부분 길쭉하고 두 귀를 뚫어 놓는다네. 막대를 가로질러서 좌우에 있는 물통의 귀에 꽂아 나귀에게 지도록 하는 거지.

그리고 나귀가 혼자서 집으로 갔다가 다시 우물로 오게 한다네.

역에 소속된 나귀는 10리 길을 가는 데 10문*의 삯을 주고 이용하는데, 사람이 나귀를 따라가지 않는다네.

나귀
10문

*10문 – 100문이 1냥.

도착할 역의 지정된 주막에 타고 간 나귀를 맡기면 된다네.

타고 온 나귀는 이곳에 반납

그러면 그 역에서 먼저 왔던 역으로 또 다른 사람이 타고 갈 수 있는 게지.

♪~

그래서 나귀는 머물러야 할 역에 도착하면 더 이상 가지 않으니 걱정 안 해도 된단 말이지.

가축을 기르는 방법이 이렇게 다양하고,

다양한 동물을 기르는 이점이 이렇게 많다니…!

정말 이러한 모든 이점을 이용하지 못하다니 안타까울 따름이에요.

하핫~

꿀꿀~

제11장 **똥을 황금처럼 여기게**

친환경 농법,

유기농 채소, 무농약 과일 등

요즘은 세계적으로 웰빙 문화니 농약 안 쓰기, 자연적으로 기르기 등이 유행하고 있지. 즉 농산물의 양이 아니라 질이 문제라는 거지.

이건 그만큼 먹을거리가 풍부해졌다는 이야기야.

와작~

우리나라는 농사짓는 사람이 많지는 않지만

농산물은 전국에서 골고루 나눠 먹을 정도로 풍부하고, 특산물은 해외로 수출해 그 품질을 인정받고 있어.

농사짓는 모습을 본 적이 있을 거야.

모내기에서부터 탈곡에 이르기까지 모두 으리으리한 기계들을 밭 한가운데까지 들여와 그 자리에서 힘들이지 않고 작업을 하고 있는 모습 말이야.

이처럼 농업의 기계화는 요즘 농가에서 흔히 볼 수 있는 일이지.

하지만 200년 전 농가의 모습은 어땠을까?

위이잉

기계는 고사하고.

팡

호미, 가래, 곰방메* 같은 기구를 가지고 있는 집조차 별로 없었어.

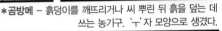

*곰방메 - 흙덩이를 깨뜨리거나 씨 뿌린 뒤 흙을 덮는 데 쓰는 농기구. 'ㄴ'자 모양으로 생겼다.

게다가 농업의 중요성이 강조되지 않아,

농자 천하지 대본

교육 백년지 대계

만 날 귀에 딱지가 앉게 듣는 말들 이지, 뭐~

에~흠~

농사지을 때는 어떻게 해야 하는지,

어느 시기에 무엇을 해야 하는지 과학적인 방법을 제시해 주지 않고,

농민들이 스스로 알아서 농사를 지어야만 했어.

대충~ 해온 대로~ 아님 말고~

입에서 입으로만 노하우가 전수되다 보니 기술의 발전이 더딜 수밖에 없었던 거야.

일단 24절기부터 외우고...

그러니 농산물은 적었고, 가뭄이나 홍수라도 있는 해에는 여지없이 굶주림을 면할 방법이 없었던 거지.

똥을 황금처럼 여기게 173

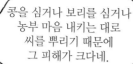콩을 심거나 보리를 심거나
농부 마음 내키는 대로
씨를 뿌리기 때문에
그 피해가 크다네.

씨앗이 서로 뭉쳐서 바람을 고르게 받지도
못하고, 햇볕 받는 것도 제각각이지.

그래서 키가 크게 자란 것은 낟알이 맺혀
거의 여물 때가 되었는데도 키가 작은 포기는
꽃을 피우지도 못한 것이 있기도 해. 이것은
모두 곡식들끼리 해를 끼쳐 열매를 맺지
못하게 한
결과야.

따라서 파종할 때는 씨앗
한 알 한 알을 병들지
않은 것으로
고르는 것이
중요하다네.

우리나라 농부들은 종자를 많이
뿌리는 데만 신경쓰는데 그럴 필요가
없는 거지.

농부가 이렇게 서서 씨앗을 휙휙
뿌리니 수확이 적어질 수밖에….

보리 이삭 하나에서 100개의 낟알을 얻는다면 종자 한 말에서는
보리 열 섬을 수확해야만 하겠지?

만약 그렇게 수확하지 못한다면
씨앗을 고르게 파종하지 못한
결과야.

북학의

이를 보면, 우리나라는 밭을 갈 때 밭을 잃고, 파종할 때 곡식을 낭비하며, 또 수확할 때도 소출이 줄어들게 되어 곡식이 귀할 수밖에.

이러니 우리 백성이 가난할 수밖에 없는 것이지.

그러면 올바른 농사법은 무엇인가요?

내가 시험삼아 해본 것을 얘기해 줌세.

땅을 한 사발 크기만큼 파고서 거름을 넣고

그 위에 흙을 덮은 다음 파종을 해보았지. 한 구덩이에 대략 10여 개의 낟알을 심었는데,

옛날에는 종자 한 말이 들어가던 땅에 두 되만 넣었어.

가을이 되어 보니 거름은 적게 들어도 효과는 훨씬 나았으며,

종자는 적게 써도 수확은 곱절이 나왔다네.

엇헤라 디여~!!

많이 뿌린다고 많이 거두는 게 아니었네….

종자 구하기도 쉽지 않은데, 그러면 돈도 절약할 수 있겠네요.

그렇지!

중국에서는 밭을 갈 때 소를 이용하네.

만만한 게 우리야?

소의 양다리 사이쯤 되는 간격에다 곡식을 한 줄로 심지.

그 곡식이 자라서 흙을 북돋아 줄 때가 되면 소에 쟁기를 메우고 날을 끼우지. 양 끝의 넓이를 소의 몸집과 비슷하게 만들면 처음부터 끝까지 소가 밭에 들어와 일을 할 수 있게 되네.

전에 갈아엎은 길을 따라 소를 끌며 갈아 나가면, 새 흙이 올라오고 곡식은 소의 배 아래에서 우수수 소리를 내며 매끄럽게 일어서지.

사람이 끄는 것에 비해 깊게 흙이 파여 좋고, 힘도 균일하게 줄 수 있으니 힘들이지 않고 수확을 많이 할 수 있지.

한 마리의 소가 사람 몇 배의 일을 하는군요! 그런데 소 있는 집이 동네에 몇 없으니, 일일이 사람 손으로 하지 않을 방도가 없어요. 소를 집집마다 가지고 있어야겠어요.

우어~

맞네. 소는 농사짓는 데 아주 유용한 동물이네.

무조건 잡아먹지 말고, 농사에 이용할 수 있어야 하네.

그리고 내가 중국에서 보니, 세 이랑의 넓이가 우리나라의 두 이랑의 넓이와 같았네. 이는 무엇을 의미하겠는가?

아무 이유 없이 밭의 3분의 1을 잃는 셈이지.

밭이고 소고 사람이고 연장이고 간에 치수가 서로 맞아떨어지게 해 간격을 일정하게 좁히면

같은 땅에서 농산물이 3분의 1 늘어나는 것이지.

파종할 때도 완전히 고르게 되어 있어 씨앗이 겹치지도 않고 줄이 비뚤지도 않았네.

씨 뿌리는 간격이 길면 일정하게 길고, 짧으면 일정하게 짧아서 절대로 차이가 나지 않는 거지.

이렇게 하면 우리나라 백성도 곡식 걱정 없이 살 수 있는 세상이 올 걸세.

우리 동네 어르신이 올해는 풍년이 될 거라고 걱정 안 해도 된다고 그러셨어요. 달을 보면 알 수 있다고 하는데 선생님이 보시기에도 그런가요?

늙은 농부의 말은 믿을 수가 없네.

그들은 식견을 가지고서 직접 밭에 나가 농사짓는 게 아니라 그저 하늘 아래 어리석은 사람으로서 근력이나 발휘하는 것에 불과하네.

그들의 얘기는 마치 요강을 땅속에 천 년을 묵힌다고 해서 골동품이 될 수 없는 것과 같네.

정월 대보름에 달이 높이 떴나 낮게 떴나를 가지고 풍년과 흉년을 점친다는 그들의 말은

결말이 나지 않는 추측에 불과할 뿐 아무 의미가 없지.

풍년이란 지혜와 식견을 가진 사람으로 하여금 옛 사람이 썼던 농사법 중에서

하늘의 때를 살피고 땅의 기운을 관찰하며, 사람의 힘으로 노력하는

천문과 절기

이 세 가지를 깨우쳐 잘 적용하게 하면 이루어지는 것이네.

天
地 → 人

땅이 높고 하늘이 낮은 곳에서는 수레를 만들어 올라가게 하고,

땅이 척박하면 진흙을 덮어서 비옥하게 만들며,

땅이 푸석푸석하면 여러 차례 갈아엎어서 고무래로 다지면 되네.

또한 높은 지대의 척박한 땅이면 땅을 깊게 파고 거름을 충분히 주어 물을 대고 농사를 지으면 되네.

이것이 농사짓는 비법이지, 늙은 농부의 점치기가 비법일 수 있겠나?

꼬집

선생님의 명쾌한 설명에 속이 다 시원해지네요. 그런데 다른 건 다 좋은데 거름은 정말 다루기가 고역이라고요!

애앵~
애앵~

중국의 농사에서 가장 인상적이었던 것은 거름이었네. 중국에서는 똥을 황금처럼 아끼더군.

으엑?!

길에 버려진 똥이 없을 정도지. 말이 지나가면 삼태기를 들고 꽁무니를 따라다니며 말똥을 거두어들이더군.

길 옆에 사는 사람들은 날마다 광주리를 가지고 가래를 끌고 다니며 모래틈에서 말똥을 가려 줍는단 말일세. 허허, 얼마나 진풍경이던지…

똥더미를 다듬어 쌓아서 네모반듯하게 만들기도 하고, 어떤 때는 세모 모양이 나게 하거나 육각형을 만들기도 하더군. 다만 똥더미 아래의 둘레에는 고랑을 파서 똥에서 새어 나온 물이 어지럽게 흘러 내려가지 못하게 만들었네.

똥을 거름으로 사용할 때는 똥을 물에 섞어 되게 반죽해 진흙처럼 만들어서

이를 바가지로 퍼서 땅에 뿌렸지. 이렇게 하는 이유는 거름을 골고루 주기 위해서라고 하더군.

그런데 우리나라는 어떤가? 마른 똥을 거름으로 사용하고 있지 않은가? 그러면 거름의 효과가 분산되어 비효율적이지.

또 마을의 똥을 완전히 거두어들이지 않기 때문에 길거리에 악취가 가득하지 않은가?

냇가의 다리 근처에는 마른 똥덩어리가 군데군데 쌓여 있어 큰 장맛비가 아니면 씻겨 내려가지도 않을 정도지.

항상 사람 발에 개똥이나 말똥이 밟히고 있으니

논밭이 제대로 가꾸어지지 않는 사실은 이것만 봐도 짐작할 수 있다네.

똥과 마찬가지로 거름에 쓰이는 재 역시 길거리에 버려지고 있네.

바람이 조금이라도 부는 날이면 재 가루 때문에 눈을 뜰 수 없을 정도지.

여기저치·굴러다니다 바람에 날려 집집의 술과 음식까지 불결하게 만든다네.

사람들은 음식의 불결함을 탓하기는 해도 그 원인이 버려지는 재 가루에 있다는 사실을 모르고 있는 거지.

재를 한 군데 모아 두기만 했지 다시 활용할 줄 모른단 말이야.

더구나 시골은 사람수가 적기 때문에 아궁이에서 나온 재를 구하고자 해도 많이 얻을 수가 없어.

지금 서울 성 안에서 나오는 재가 몇만 섬이 되는지 알 수 없을 정도이지만, 이것을 내버리고 전혀 활용하지 않는 것은

수만 섬의 곡식을 버리는 것과 다르지 않네.

중국에는 다음과 같은 법률 조항이 있다.

"더러운 분뇨를 흘려 보내는 도랑을 길 옆에 내는 자는 장형(杖刑)에 처한다."

또 '재를 버리는 자는 사형에 처한다.' 라는 것이 있는데, 비록 가혹한 법이기는 하지만 그 취지는 농업에 힘쓰라는 것이네.

북학의

그러므로 우리나라도 농업을 담당하는 관리라면 재 버리는 것을 금해야만 해.

그 행위를 금지한다면 농사에는 유익하고 나라 안은 온통 청결해질 테니 일거양득 아니겠는가?

선생님 말씀이 옳아요!

우리도 오늘부터 당장 실천해 봐야겠어요!

또 중국은 비록 외진 마을의 가난한 집이라 해도 대개 여러 칸 크기의 광을 소유하고 있었네.

석회를 사용해 광을 다져 쌓아서 굳이 가마니를 사용하지 않고 바로 광에 곡식을 쏟아 붓더군.

곡식이 광 전체를 채운 집도 있고, 반 정도를 채운 집도 있었어.

어떤 집에 가 보니 마당에 원통 모양으로 동그란 담을 둘러쳐 놓았더군. 마치 큰 쇠북종같이 생긴 것이 높이가 지붕까지 닿을 정도였지. 사람이 사다리를 타고서 원통 속으로 곡식을 쏟아 붓는 걸 보았네. 곡식이 많이 들어가면 100섬 정도가 차는데, 아무리 적다고 하더라도 20~30섬 아래로는 내려가지 않았지. 한 집에 이런 것이 여러 무더기 있더군.

얼마나 풍요로운가? 남아도는 곡식이 그리 많이 쌓여 있으니 근심걱정이 있을 턱이 있는가?

그런데 우리나라의 가난한 백성은 아침저녁 먹을거리조차 없이 생계를 꾸려 나가고 있네.

열 가구 사는 마을에 하루 두 끼를 해결하는 집이 과연 몇이나 되겠는가?

어려울 때를 대비해 준비한 곡물이란 것도 옥수수 몇 자루나 마늘 수십 개를 초가집 벽에 걸어 놓은 것밖에 더 있는가?

그러나 중국의 백성은 대개 비단옷을 입고 담요를 덮고 잠을 자며, 침상이나 탁자를 구비해 놓고 살지.

농사짓는 사람들도 옷을 벗지 않고 가죽신에다 정강이에 전대를 차고서 밭에서 소를 끌고 있네. 우리와 얼마나 대조적인가? 나같이 눈으로 직접 보고 온 사람들이나 그 사실을 인정하지, 아무도 믿으려 하지 않으니 이 또한 매우 한심한 일일세.

그에 비해 우리 농부들은 한 해에 무명옷 한 벌조차 얻어 입지 못하고 있네.

남자나 여자나 태어난 이래 침구가 무엇인지 구경조차 못하고

이불 대신 멍석을 깔고 그곳에서 아들과 손자까지 키우지.

아이들은 10세 전후가 될 때까지 여름 겨울 할 것 없이 벌거숭이로 다니고 있지 않은가?

그러니 이 땅에서는 가죽신이니 버선이니 하는 것이 무엇인지도 모르고 있지.

한둘이 그런 게 아니라 모든 사람이 이러고 살고 있으니 이 어찌 딱하지 않겠나.

입을 것과 먹을 것이 넉넉하지 않고,

재화가 제대로 유통되지 않으며,

학문이 과거제도에 짓눌려
사라지는 것은

능력보다는 문벌을 중시하는 제도에
딱 막혀 있기 때문이라네.

따라서 백성이 견문을 넓힐
방도가 없으며

재능을 개발하고 식견을
트이게 할 길이 없는 게지.

사정이 이렇다 보니
문화는 퇴보하고
제도는 망가지며

백성의 숫자는 날로
증가하는 반면,
나라의
재정은
날이 갈수록
비어 가고
있는 거지.

중국은 옛날 신농씨(神農氏) 때부터

나무를 깎아서 보습을 만들고, 나무를 휘어서
쟁기를 만들어 나라를 처음 세울 때부터 백성에게
경작하는 것을 가르쳤다고 하네.

신농씨 이후 성스러운 군주와 어진 재상들은
하나같이 농사의 이치를 잘 연구해 분명하게
밝히는 것을 전통의 법으로 여겼지.

그 전통이 이어져 내려와 관리들은 모두 백성에게 농사짓는 방법을 가르칠 능력이 있다네.

그러니 백성은 농기구를 편리하게 사용하고,

이 정도 쯤이야~!

김매는 방법도 따로 있으니 힘들이지 않아도 거두는 수확은 배 이상이 되었지.

그런데 우리나라는 지금 어떤가!

쾅

윗자리에 있는 사람은 고귀한 신분에다 부유하게 살기 때문에 농사를 직접 짓지 않지.

농사? 그게 뭔데?

그래서 심한 경우에는 콩과 보리도 분간 못하더군.

콩!

서민은 눈이 있어도 글을 읽지 못하고,

검은 건 글씨요 흰 건 종이로구나~

교육을 받은 바 없으니 무지몽매하고 거칠기만 해

뭐시여? 거칠어?

오직 근력만으로 일을 하지.

배운 게 없으니 몸으로 때워야지, 뭐~

이 속담은 예부터 내려온 것이 아니네.

"어리석은 사람이 농사 짓는다."

하나만 알고 둘은 모르는 자들이나 하는 말이지.

뭐?

농사가 얼마나 고귀한 일인지 모르는 관리들이 바로 어리석은 사람들이 아니고 뭐겠나!

윽

184 북학의

선생님, 이제라도 늦지 않았으니, 곡식을 파종하는 방법과

써레질하는 시기,

낑 낑~

김매는 방법을 옛날의 법도에서 배워야겠어요.

우리나라에는 변변한 농기구가 한 가지도 없는 실정이니

전답이 황폐화해 곡식을 심어도 제대로 수확하지 못하는 걸세.

한 해 동안 열심히 일해도 좋은 결과를 얻지 못하니 굶주리는 일이 날이 갈수록 심해지건만, 그 이유를 알지 못하니

정말 분통 터지는 일이야!

그렇다고 옛날의 좋은 제도를 갖추어 쓰지 못하는 현실을 탄식하고만 있을 수야 없지 않은가?

똥 재

무지몽매한 풍습은 과감하게 벗어 버리고

대충 농법

우리에게 필요한 농사법과 농기구를 하루빨리 수집해 이를 널리 소개해 쓰게 해야 하지.

똥 재

내가 가진 학식과 재능이 부족해 명철하신 임금을 보좌하며 한 시대의 백성을 이끌 능력은 부족하지.

하지만 늙어 죽을 때까지 밭고랑 사이에서 우리 백성에게 내가 배워 온 선진 농사법을 안내하고 가르칠 작정이야. 바로 그게 지식인의 사명 아니겠는가!

으, 냄새~

철떡

으크!

제12장 농사짓는 데 필요한 10여 가지 기구들

농사는 아주 중요한 일이야.

농업

지금은 농산물이 해외에서도 수입되고 있지만

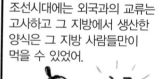

조선시대에는 외국과의 교류는 고사하고 그 지방에서 생산한 양식은 그 지방 사람들만이 먹을 수 있었어.

자급자족

그러니 농사를 망치는 해가 되면 한 마을 사람들이 모두 굶주려야 했지.

그런데도 이런 중요한 농업에 대해 조선시대 양반들은 그다지 관심을 갖지 않았어.

과거 과목에 농사 같은 건 없다고요!

4서 3경

당시는 사농공상이 명확히 구분되어 있어서,

신분을 밝히시오!

글 읽는 선비, 농사짓는 농민, 공장장이 기술자, 장사하는 상인 등의 신분계급이 뚜렷이 구별되었지.

그러니 글 읽는 선비 중 농사나 상업에 관심을 가진 사람이 없었고, 그것은 미천한 사람들이 하는 일이라고 무시하기 일쑤였어.

심지어 이렇게 말하는 선비들도 아주 많았대.

차라리 굶어죽을 지언정 농사를 짓지는 않겠다!

그러다 보니 농사 기술은 발전하지 못하고, 애매한 백성만이 가난에 허덕일 수밖에.

Help~!

가난의 해결책이 제시되지 못했던 거야.

이런 시기에 중국에 다녀온 박제가는 농사를 활발히 짓되, 생산량을 늘릴 수 있는 기구의 제작과 보급에 관심을 갖고 이를 전파하려고 노력했지.

모두가 이런 규격화된 농기구를 사용한다면 힘들이지 않고도 지금보다 생산량을 몇 배는 늘릴 수 있습니다!

농사를 강조하기 이전에 농사에 필요한 여러 기구를 장만해야 합니다!

그러면 박제가 필요하다고 주장하는 10여 가지 농기구에 대해 자세히 알아볼까?

HIT! 대표 농기구 모음

오늘날 농기구를 말하는 사람들은 '옛날과 지금은 쓰임새가 다르지.' 라고 하거나

'남북의 제도가 달라.' 라고 말한다네. 그러나 나는 한마디로 '우리나라에는 농기구가 없다.' 라고 말하고 싶네.

대체로 논밭을 경작할 때는 쟁기와 보습의 넓이가 결정된 뒤에 밭고랑도 제대로 낼 수 있고, 김매기도 손쉽게 할 수 있는 거지.

지금 골짜기에서는 두 마리 소가 끄는 쟁기를 사용하고

넓은 들에서는 한 마리 소가 끄는 쟁기를 사용해 흙을 일구네.

그런데 그렇게 흙을 일군 뒤에는 다시 다른 농기구를 사용하는 일이 없지.

그리고 쟁기의 모양들도 제각기 다르고

밭고랑과 두둑*을 모두 어림짐작으로 만들어

뭐… 이정도~!

어떤 사람은 쟁기 셋이 들어가는 폭을 한 두둑으로 삼기도 하고, 어떤 사람은 쟁기 다섯이 들어가는 폭을 한 두둑으로 삼기도 하지.

*두둑 – 밭과 밭 사이에 길을 내려고 흙으로 쌓아올린 언덕.

이처럼 두둑이 넓으면 씨앗을 흩뿌려 파종하기 때문에 곡식이 자라는 줄이 어지럽다네.

나중에 풀을 뽑을 때에도 힘이 열 배나 들지.

아이고, 어느 게 잡초고 어느 게 농작물이냐!

그러니 가장 시급한 것은 규격에 맞는 농기구를 보급해, 이를 사용할 수 있도록 농사짓는 법을 가르쳐야 하는 거지.

〈표준농기구집〉

예부터 '덕을 바로 잡고 쓰임을 이롭게 하려면 생활을 넉넉하게 하는 일부터 힘써야 한다.' 는 말이 있잖아요?

생활을 넉넉하게 하자는 것은 입을 것과 먹을 것을 풍족하게 하자는 의미겠죠!

그렇다면 선생님은 오늘날의 문제를 해결할 방법이 무엇이라고 생각하시는지요?

우선 농사법과 양잠법부터 개선하는 것이 급선무네.

그런 다음에 중국의 수준을 따라잡는 것이지.

목표: 중국을 따라잡자!

농사와 양잠이라고요?

현재 우리나라에도 농사를 짓고 누에를 치지 않는 사람이 없잖아요?

중국의 곡식은 벌써 쌀이 되었는데,

우리는 그때에도 벼를 베지 못하고 있네.

이제 슬슬 베 볼까...?

저들은 벌써 비단을 짰는데, 우리는 그때도 고치에서 실을 뽑지 못하고 있고. 저들은 벌써 솜을 탔는데, 우리는 한 달 뒤에나 솜을 탈 수가 있지.

이것은 우리가 게을러서가 아니라, 오직 기술을 태만하게 여기고 내팽개쳐 둔 채 단련시키지 않아서라네.

특별히 재주도 없고 명석하지도 못하니 기술이나 익히거라.

시...싫은데요!

날이 갈수록 인구는 증가하는데 국력은 약해지는 것은 도대체 무슨 까닭인가?

國力

왜 기술을 배우려 들지 않는가 말일세!

기술입국

농사짓는 데 필요한 10여 가지 기구들　　189

지금 우리 백성에게 필요한 것은

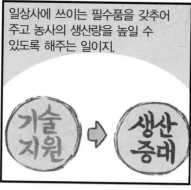

일상사에 쓰이는 필수품을 갖추어 주고 농사의 생산량을 높일 수 있도록 해주는 일이지.

그런데도 현재 우리의 상황은 어떤가?

벼를 모아 놓고 까불기 위해 바람 부는 앞에서 날리고

깐 멍석 가운데에 벼를 놓고 밟은 다음 멍석 양 끝을 잡고서 떨어 내지.

여러 사람이 힘들여 일해도

하루에 겨우 열 섬의 좁쌀을 까불고서 기진맥진해 하지만 그래도 깨끗하게 안 되어 늘 염려스럽지 않은가?

이럴 때 돌방아로 곡식을 찧고, 양선이라고 해서 바람에 날리게 하는 탈곡기를 돌리면

1만 석의 곡식도 한 사람이 쉽게 찧을 수 있는 것이지.

그러니 백성에게 탈곡기와 돌방아를 만들어 보급하는 것이 매우 시급한 일이지.

북학의

그뿐인가? 좁쌀과 콩을 파종할 때는 어떤가?

손으로 한 움큼씩 쥐어서 뿌리므로

싹이 뒤죽박죽으로 나서 열매를 맺는 데 해를 끼치고 있네.

또 밭두둑 하나를 사이에 두고서 한쪽은 물이 많아 걱정인데 다른 쪽은 가물어서 걱정이지. 그럴 때도 넉넉한 쪽의 물을 부족한 쪽으로 돌려 쓸 수가 없네.

부족한 곳에 물을 뿌리려고 바가지를 사용하는데,

바가지로 물을 푸는 모양이 그네를 뛰는 모양 같아서 둔하기가 형언할 수 없지.

그럴 때는 녹독이라는 기구를 만들어 보급한다면 파종을 고르게 할 수 있네. 또 밭을 쟁기로 간 뒤에는 반드시 흙덩이가 생기게 마련인데, 흙덩이가 있으면 곡식이 잘 자라지 않네.

옛말에 큰 흙덩이 아래에는 좋은 곡식이 없다고 하지 않는가?

또 곰방메와

써레를 이용하면 서서도 흙덩이를 고르게 깨뜨릴 수 있지.

오엑~
거머리다!

고무래도 흙덩이를 깨는 농기구이고.

수숫잎 모양의, 자루가 짧은 호미는 언제부터 사용했는지 모르겠네.

호미를 쓸 때는 왼손으로 싹을 잡고 오른손으로 호미를 잡은 채

허리를 구부리고 꽁무니를 바닥에 대고 앉지.

그러고는 뿌리를 어림짐작해 들추고 풀이 있는 데마다 뽑아 버리네.

이러다 보니 장정이라 하더라도 하루에 김매는 양이 기껏해야 5~60이랑 정도지.

중국에서는 호미에 긴 자루를 단 입서라는 농기구를 쓰더군.

쟁기로 밭갈이를 한 다음 작은 쟁기로 금을 그어 고랑을 만들어

그 가운데에 싹을 심지. 싹이 자라면 입서를 가지고 두둑의 흙을 긋는데,

좌우로 나뉘어 흙이 쌓이고 잡초는 그로 인해 엎어져 뽑힌다네. 그러면 저절로 싹을 북돋게 되는 거지.

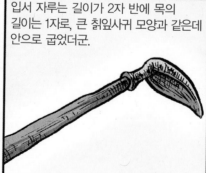

입서 자루는 길이가 2자 반에 목의 길이는 1자로, 큰 칡잎사귀 모양과 같은데 안으로 굽었더군.

내가 입서를 사용해 보니 서서 일할 수 있어 아주 편리했지.

호종이라는 것도 있는데, 이를 사용하면 씨 뿌릴 때 아프게 발뒤꿈치로 파지 않아도 되지!

선생님, 그럼 이건 뭔가요?

써레라고 하지. 써레는 무논*에서 사용하는 농기구지.

*무논 – 물이 늘 괴어 있는 논.

논을 갈아엎을 때 물이 참방거려서 흙덩이를 부수기가 그럴 때 어려운 경우가 많지?

엑!!

먼저 일자(一字) 형의 큰 써레를 사용하고 다음에는 인자(人字) 형의 작은 써레를 사용해 흙덩이를 부수지.

그 다음에는 쇠스랑을 사용해 체에 친 밀가루처럼 흙을 잘게 부수어 한 조각 덩이도 없게 만들지.

그런 연후에 씨를 뿌리면 자리를 잘 잡아 곡식이 잘 자라지!

요새 사람들은 단지 한 가지 써레만을 사용해 한 차례만 물을 뒤집어 놓다 보니 땅이 좋을 리 있겠는가.

선생님, 중국에서 보았던 농기구 중에서 가장 인상적인 게 무엇이었나요?

그야 뭐니뭐니 해도 수차지!

"水車"

수차의 이로움은 아무리 강조해도 지나침이 없네!

수차를 이용하면 마른 땅에 물을 댈 수도 있고, 물이 고인 땅에서 물을 뺄 수도 있더군. 우리나라는 물을 관개하는 제대로 된 법이 하나라도 있는가? 화살을 쏘아 도달할 만한 거리에 있는 물을 반 자 높이도 솟구쳐 오르게 하지 못하고 있지 않은가.

그러고서는 큰 냇물을 막아 물을 고이게 하여 보*에 넘쳐 흐르는 물이 거꾸로 흘러오기만을 기다리고 있으니…. 그러다가 잘못하여 둑이라도 터지면 열 가구의 재산이 파도 속으로 헛되이 사라져 버리지 않나.

*보 - 논에 물을 대기 위한 수리 시설의 하나.

이러한 피해를 막고 전답에 필요한 물을 마음껏 대기 위해서는 마을마다 수차 같은 기구를 만들어 사용할 수 있도록 가르쳐야 하네.

우아~ 이렇게 얘기하다 보니 농사에 필요한 도구만 해도 10여 가지가 넘는 것 같아요!

이런 농기구가 유용한 건 잘 알겠는데, 다 갖추려면 돈이 많이 들겠어요….

탈탈

하하, 농사만큼 중요한 게 어딨겠나. 반드시 든 돈 이상의 소출을 올릴 수 있으니 걱정할 것 없네.

첨벙

북학의

선생님, 누에를 기르는 일에도 그런 도구가 필요하다고 하셨지요? 청나라의 양잠법은 어떠했나요?

우리나라에도 누에고치를 키워 실을 뽑고 있지만 말이야,

방 한 칸에 한 칸 크기의 양잠이라도 하려면 사람은 발을 들여 놓을 구석도 없지 않은가.

기와장으로 받쳐서 누에를 치는데, 실수하여 넘어지기라도 하면 죽은 누에가 발 아래 가득 널리곤 해 혼쭐이 나지.

그런데 중국에서는 '잠박'이라고 해서 대나무 따위로 네모꼴을 만들어 놓고

그것을 층층이 매달아 방 꼭대기까지 쌓아 놓더군.

누에들의 아파트인 셈이지…

그렇게 하니 누에의 수효는 열 배나 되고 방의 공간은 여유가 있던데, 이 사실을 아는 이가 없네.

누에를 옮길 때도 성장한 정도를 일일이 구별하여 옮기려면 하루 종일 해도 얼마 못하지 않나.

버둥

이럴 때 '잠망'이라는 기구를 이용하여

그물을 덮어 뽕잎을 먹이자 모든 누에가 일제히 그물 위로 나오더군.

그때 그 크기에 따라 저절로 망을 빠져나오고 못 나오고가 결정되니

힘들이지 않고 고치에서 실을 뽑을 수 있는 거지.

우랑 누에들

본래 누에가 토해 내는 실은 지극히 균일하지.

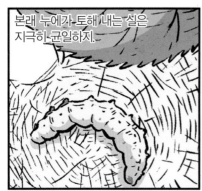

하지만 우리 고치 켜는 사람은 아예 고치를 살펴보지도 않고 마음내키는 대로 수를 늘렸다 줄였다 해 실은 거칠거칠하고 비단은 털이 부숭부숭하지.

또 고치를 켤 때도 소차를 사용하지 않고 손으로 물에서 실을 건져다가 쌓아 놓기 때문에

툭하면 물에 젖은 것이 엉켜 말라붙고 말지.

그래서 엉켜 붙은 것을 하나하나 다시 풀어야 하잖나.

이러다 보니 걸핏하면 시간만 허비하고 만단 말이야. 실을 뽑을 때는 새끼를 꼬거나 실 따위를 감았다 풀었다 할 수 있도록 만든 작은 얼레 모양의 자새를 사용해야 하네.

갈고리를 먼 곳에 걸어 두고 실을 건져 올리면 실이 먼저 마르고, 색이 누렇게 변하는 일도 없지.

이런 유용한 도구를 이용하면 몇 배의 능률이 올라 많은 일을 할 수 있는데도 그런 사실을 모르고 있으니 안타까울 뿐이지.

실이 준비되었으면 천을 짜야 하는데, 이때 필요한 도구가 바로 베틀이지.

댄스 배틀?

yo!

하지만 우리나라의 베틀은 쓰기가 영 불편해.

깽 깽~

북학의

우리나라의 베틀은
묶느라고 힘이 들고, 발로 차느라고
힘이 들며, 당기느라 힘이 드네.
그렇게 아무리 애를 써도 하루에
짜는 양은 20자를 넘지 못하지.
이는 다른 나라에서
사용하는 베틀이 어떠한
성능과 장점을 가졌는지
몰라 그런 것이네.

중국의 베틀은 의자에 앉듯이
편하게 앉아 발끝만 가볍게 움직여도
저절로 열렸다 합쳐지고
저절로 갔다가 돌아오면서
우리나라 것보다 두세 배의 양을
짜낸다네. 짜는 사람은 북이
왔다갔다 하는 속도만
조절하면 될 뿐이니
힘들 게 뭐가 있겠나.

하핫, 대단해요! 양잠의
도사가 다 된 것 같아요.
이런 농기구를 한 사람이
사용한다면 그 이익은
10배가 될 것이고, 온 나라가
사용한다면 이익이
100배는 되겠어요!

그뿐인가요? 이런
도구를 10년 안에
모두가 사용한다면
말로 할 수 없을 만큼
많은 이익이
남겠어요!

그러나 이러한 도구에 뜻을 두고 있는 사람은 시행할
만한 힘이 없고, 힘을 가지고 있는 권력자는 끝내 이를
시행하지 않고 있는 게 문제네.

농업과 잠업의 이익이 그리 많지 않은 것을 알게 된 백성은 그 일을 떠나 다른 데로 달려가고 있으니

미곡값이 오르고 옷감이 귀해지는 현상이 아무 이유 없이 발생하는 게 아니었네.

지금 사람들은 오랜 관습에 안주해 있어,

관아에서 좋은 농기구를 판다 하더라도 사려고 하지 않을 것이 분명하네.

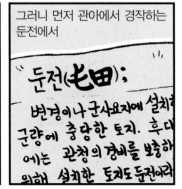

그러니 먼저 관아에서 경작하는 둔전에서

둔전(屯田);
변경이나 군사요지에 설치하여 군량에 충당한 토지. 후대에는 관청의 경비를 보충하기 위해 설치한 토지도 둔전이라

이런 농기구를 시험적으로 사용해 큰 이익을 거두는 것을 보여 준다면 몇 해 지나지 않아 따르는 사람이 시장에 사람 모이듯 할 것이 분명하네.

옛날 중국 요순 임금이 계신 곳은 어디나 사람이 모여들고 도회지가 만들어졌다고 하네.

그것은 성인의 덕에 의한 감화가 이처럼 빠른 것도 있지만

요순 임금의 농사짓고 질그릇 구우며 물고기를 잡는 빼어난 지혜가 백성으로 하여금 즐겁게 그의 뒤를 따르게 만든 것임을 알아야 하네.

이는 마치 물이 아래로 흐르는 것과도 같은 이치라 할 수 있네.

順理

이렇게… 박제가가 제안한
농업과 양잠업에 필요한
10여 가지의 농기구는

불과 몇 년 전까지만 해도 농가에서
흔히 볼 수 있는 필수 농기구로 남아
있을 정도로 보편화되어 사용했어.

비록 당대에는 그의 주장이 사회
기득권 층으로부터 환영받지
못했지만

결국에는 선각자적인 탁견이
빛을 발해 우리 생활에 큰
영향을 주게 된 거지.

北學議

진정으로 시대를 걱정했기 때문에 누구
보다 날카로운 비판의 목소리를 낼 수
있었던, 가난한 조선 백성을 위한

박제가의
애민정신은 후대에도
두고두고 칭송받을
만하지.

이거 쑥스럽구먼~.
진정으로 이 나라 백성을
생각한다면 누구
라도 이런
생각을 했을
것이야!
하하핫~

지금이 어렵다고
낙담하지 말고

청나라의 앞선
문물을 받아들여

우리도 한번
잘 살아 보세~

《북학의》 깊이 읽기

조선시대 부의 상징, 가마

조선시대의 이동 수단이었던 가마를 한번 살펴볼까요? 가마는 모양에 따라 여러 가지가 있습니다. 왕이나 왕비가 타고 다니던 '연(輦)'도 있고, 공주가 타고 다녔다는 '덩'도 있으며, 사람이 타는 것이 아니라 왕가나 사대부가에서 신주단지나 향로 따위를 실어 나르는 '신여', '향정자' 등도 있었습니다.

가마는 벽체에 뚜껑이 있는가, 청익장 같은 화려한 휘장이 있는가, 아니면 주렴이 늘어져 있는가 등의 치장에서 화려함으로도 격을 따지지만, 그보다는 몇 사람이 메는가가 더 중요했습니다. 가마꾼이 많을수록 행렬이 화려해짐은 물론이고 가마의 요동이 덜해 오래 타도 피곤하지 않았습니다. 그래서 세자가 타고 다니던 연은 14명이 메었고, 왕이 타는 연은 20명 가까운 인원이 메었습니다. 일반인도 죽어서 묘 터까지 갈 때에는 20여 명이 타는 상여를 탈 수 있었지만, 생전에는 꿈도 꾸지 못할 일이었답니다.

민간의 가마로는 2명이 들고 가는 간단한 새끼가마에서부터 많게는 4명이 전후 좌우로 메고 가는 4인교가 일반적이었는데, 사치 풍조가 만연해지면서 6인교, 8인교, 12인교까지 있었다고 합니다. 이를 보면 알 수 있듯, 가마는 단순한 탈 것이 아니라 위계질서를 나타내는 상징물이기도 했습니다. 그러므로 관리의 등급에 따라 탈 수 있는 가마의 종류에 제한을 두기도 했습니다. 가마는 보통 대감이라고 부르는 2품 이상의 승지(承旨, 국왕비서)를 지낸 이에게만 허용했으며, 왕과 그 가족을 제외하고는 도성 밖에서만 타게 했습니다. 그런데 이런 법령을 지키지 않아 고을 수령들이 부임해 갈 때 도성 문을 나서자마자 감시가 허술한 틈을 타 스스로 쌍가마를 타거나, 어머니나 처자를 태우는 일이 잦았습니다. 쌍가마는 가마의 앞뒤를 말 2마리가 끄는 것입니다. 이렇게 되자 당시 여인들은 쌍가마 타는 것을 평생의 소원으로 삼았다고 합니다.

하지만 법도를 어기며 가마를 타는 것을 철저하게 막은 정조는 전국의 수령 중 쌍가마를 타고 부임한 자를 모두 조사해 잡아들이라 했고, 함경도로 무기한 유배를 보내는 등 혹독한 처벌을 가하기도 했습니다. 수령이 가마를 타는 데 대해 이렇게 무거운 형벌을 내린 것은 단순히 관리들의 위계질서를 바로 잡자는 것만은 아니었습니다. 그보다 더 큰 문제는 수령이 가마를 타면 고을 백성들이 가마를 메느라 곤욕을 치르기 때문이었습니다. 특히 좁은 산길에서 '남여'를 타고 가기 위해 고갯길 초입에 이르러 밭에서 일하는 백성들을 보이는 대로 잡아들여 남여를 메게 했는데, 말을 안 들으면 뺨을 치고 머리채를 잡아끌어 남여를 메게 했다고 합니다. 고갯마루 밑에 사는 백성들은 그냥 걸어가기도 힘든 고갯길을 무거운 남여를 어깨에 메고 가

北學議

야 했으니 그 고통이 이만저만한 게 아니었습니다.

　이런 가마이니 왕도 타기가 조심스러웠습니다. 궁궐 안에서 타거나, 궁궐 밖이라 하더라도 가까운 거리일 때만 타고 다녔다고 합니다. 또 젊은 사람은 아무리 직분이 높아도 가마를 타고 다니는 것이 예의에 어긋나는 일이라고 여겼습니다. 영조 때는 왕자들이 10세도 안 되어서 수행원을 잔뜩 거느리고 남여를 타고 다녔다 해서 왕이 크게 화를 내며, 그 가마를 빌려준 사람까지 모두 귀양 보내는 처벌을 내렸다고 하니 어느 정도였는지 짐작할 수 있습니다.

　그런데 이렇게 타기도 쉽지 않은 가마를 타면 편안하기는 했을까요? 말을 타고 가는 것보다는 편했겠지만 가마 안이 좁아서 오랜 시간 탈 수 없었다고 합니다. 자신의 견문기에서 조선을 처음으로 '고요한 아침의 나라'로 이름 붙였던 미국인 천문학자 로웰은 우리나라에 방문해서 가마를 타게 되었습니다. 처음엔 가마 속에 앉아 흔들흔들 가다 보니 마치 배를 타고 둥둥 떠서 가는 기분이었죠. 그런데 조금 지나서부터는 가마에 앉아 가는 것이 고역스러웠다고 합니다. 체구가 큰 사람은 비좁은 가마 안에서 목을 구부린 채 움직일 수 없었던 것입니다. 그 상태로 오래 흔들리며 가다 보면 온몸이 마비되고 나중에는 경련이 일어나는 듯했습니다. 그렇게 5리쯤 가서 조금 쉬었는데, 가마를 메는 사람이 쉬는 게 아니라 가마 안에 앉아 가는 사람이 쉬어야 하는 것이라고 생각했다고 합니다. 가마 타는 것이 얼마나 힘들었는지 가마를 '상자 모양의 고문 도구'라고 기록하기도 했습니다.

▲ **조선시대의 가마들** 연, 사인교, 초헌, 남여 (왼쪽부터 시계방향)

가마의 모양을 살펴보면, 조선시대 가마는 신분에 따라 다른 가마를 탔기 때문에 그 종류가 다양했습니다. 왼쪽 페이지 첫 번째 그림은 '연'이라고 해서 왕이나 공주가 타던 것이고, 두 번째 그림은 평민들도 타던 것으로 신부가 혼례 때 탔던 '사인교'입니다. 세 번째 그림은 '초헌'이라고 하는데, 종전의 가마보다 조금 개량해 바퀴를 1개 달았습니다. 네 번째 그림은 '남여'라고 하여 의지에 긴 손잡이를 앞뒤로 연결한 것인데 가장 보편적으로 사용했던 가마입니다.

18세기의 배

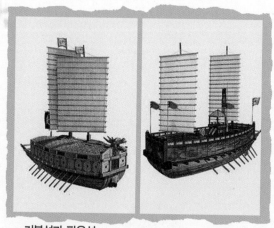

▲ 거북선과 판옥선

조선의 배 하면 제일 먼저 생각나는 건 바로 '거북선'입니다. 조선의 군사용 배로 임진왜란 때 활약했던 이순신 장군이 개량한 거북선의 명성을 우리는 어릴 때부터 알고 있습니다. 그렇지만 실제로 고려시대부터 군함으로 널리 사용한 것은 거북선이 아니라 판옥선이라고 합니다.

하지만 민간에서 널리 사용하면서 사람을 태우거나 물건을 싣는 데 이용한 배는 나룻배와 돛단배였습니다. 《북학의》에 나오는 배는 아마 이런 모양의 배들이었을 겁니다. 다음 조선시대의 사진을 보면 약간의 여유가 느껴지며 운치 있어 보입니다. 하지만 이것을 타고 다녀야 하는 서민의 입장에서 본다면 위험해 보이기도 합니다. 박제가의 말처럼 물이 새어 들어올 수도 있겠다 싶습니다.

▲ 오른쪽이 나룻배이고, 왼쪽이 돛단배입니다.

이 당시 박제가가 중국에서 보고 왔던 중국의 정크선을 그림으로라도 한번 볼까요? 18세기 중국에서 널리 사용했다는 정크선은 중국에서 목재로 만든 범선을 일컫는 말로, 중국은 정크선을 타고 15세기 명나라 때 유럽의 콜럼버스나 마젤란보다 앞서 세계 일주를 했다는 기록이 있을 정도로 배 만드는 기술과 항해술만큼은 서양보다 500년이나 앞선 선진 기술을 가지고 있었습니다.

▲ 정크선

《북학의》의 세밀한 묘사와는 조금 다르기는 하지만, 당시 조선에서 돛단배나 나룻배를 보고 생활했던 박제가가 가서 보고 깜짝 놀랄 만했겠죠?

벽돌로 지은 수원 화성

중국에 다녀온 실학자들은 벽돌로 집과 성을 지어야 한다고 주장했습니다. 그렇다면 그런 주장에 따라 축조한 성은 무엇이 있을까요? 바로 수원에 지은 화성이 그것입니다. 정조가 아버지인 사도세자를 기리기 위해 지었다는 화성으로, 정조가 아꼈던 실학자들이 중국에서 배워 온 벽돌 축조 방법과 각종 과학 도구 등을 이용해 설계에서부터 건축, 기록, 정리까지 맡아서 완성했습니다.

다음 사진은 수원성의 북문인 장안문입니다. 돌로 높이 쌓은 축대에 건물을 짓고, 반원 모양의 옹성은 벽돌로 쌓았습니다. 전통적으로 성을 쌓았던 방식인 흙으로 만드는 토성(土城)이나, 화강석을 잘라 붙였던 석성(石城)과 달리 수원 화성은 벽돌과 화강석을 섞어 튼튼하고 견고한 성을 세울 수 있었습니다. 화강석으로 지은 석성은 돌로 만들어져 견고할 것 같지만 밑 부분의 돌이 빠지면 한순간에 무너지기 쉽고, 벽돌로 짓는 전축성은 18세기의 가마 기술로는 제조가 불가능해 제대로 된 벽돌을 생산하지 못했다고 합니다. 그래서 화성은 시대의 요구에 맞으면서도 현실적으로 가능한 방법으로 지은 것입니다. 이렇게 벽돌

▲ 수원 화성

의 아름다움과 돌의 견고함을 잘 혼합해 지은 성으로는 화성이 최초이자 마지막이었다고 하니 그 의미도 특별하다 할 수 있습니다.

한편, 신하들은 정조에게 수원 화성을 짓는 데 많은 불만을 토로했습니다. 어떤 신하는 "왜 목숨을 걸고 적과 싸워야 하는 성을 험악하게 짓지 않고 아름답게 짓습니까?"라고 따지기도 했습니다. 하지만 정조는 단호하게 "어리석은 신하들아, 아름다움이 적을 이기느니라."라고 대답했습니다. 그만큼 수원에 지은 화성은 보기 드물게 아름다운 성입니다. 그 아름다움은 문화기술의 힘이고, 정조는 그것이 적군을 제압할 수 있다고 생각했습니다. 실학자 정약용의 치밀한 설계로 지어진 화성은 정조의 개혁에 대한 염원이 담겨 있을 뿐 아니라, 개혁을 바라는 사람들의 모든 지혜가 총동원되어 지은 성으로 평가받고 있습니다.

또한 백성을 강제로 끌어들여 공사를 시키지 않고 농촌을 떠나 떠돌이로 살아가는 사람들에게 임금을 주어 공사를 시켰으니 공사가 곧 새로운 일자리를 만들어 주기도 했습니다. 그리하여 공사는 예정보다 훨씬 일찍 끝날 수 있었습니다. 이렇게 지어진 수원 화성은 우리나라의 전통 성 쌓기 방식에 중국과 서양의 성 만드는 방식이 잘 어울린 특색 있는 건축물로 남게 되었습니다. 화성은 정조의 죽음으로 결국 한 번도 성으로서 제 구실을 못하고 말았지만, 이 성에는 조선을 개혁하고자 하는 정조와 그 사람들의 의지가 담겨 있는 의미 깊은 건축물입니다. 1997년에 수원 화성은 유네스코(UNESCO, 유엔의 교육과학문화기구)가 세계 문화유산으로 인정하여 세계적으로도 인정받고 있는 우리의 아름답고 튼튼한 성입니다.

북학파

원래 '북학(北學)'이란 중국 고전인 《맹자》의 〈등문공장구〉에서 처음 사용되었습니다. 이것을 박제가가 중국에 다녀온 후 중국의 문물을 배울 것을 주장한 자신의 저서 제목으로 인용해 《북학의(北學議)》라 이름 붙인 것입니다. 그 후부터는 청나라의 선진문물인 북학을 배워 상공업을 부흥시키고 조선을 풍요롭게 하자는 생각을 가진 사람들을 통틀어 '북학파'라고 부르게 됐습니다.

조선시대는 대체로 외국과의 교류가 별로 없던 시대였습니다. 지금처럼 여러 나라와 외교를 맺고 사람들이 여행을 자유롭게 할 수 있었던 상황이 아니었습니다. 외국에 가는 일은 왕의 명령에 의해서만 가능했는데, 특히 조선 후기 때는 더욱 그랬습니다. 임진왜란과 병자호란으로 조선의 민심과 생활은 점점 더 악화되어 갔습니다. 특히 청나라에 패한 후 굴욕적 외교를 맺어야 했던 조선의 백성들은 충격에 빠졌습니다. 조선의 북방지대에서 먹을거리를 훔쳐 달아나던 골칫거리로만 생각했던 여진족에게 항복했으니 백성들의 분노는 하늘을 찔렀습니다. 여진족(만주족)은 오랜 옛날부터 통일된 조국 없이 뿔뿔이 흩어져 있던 오랑캐라고만 알고 있었는데, 중국의 전통 한족(漢族)을 몰아내고 중국에 왕조를 세웠으니 조선으로서는 인정하기 어려웠던 것입니다. 이런 사회적 분위기 속에서 조선은 오랑캐 청이 명나라를 친 것에 대해 복수하고자 '북벌(北伐)론'이 전반적으로 흐르고 있었습니다. 하지만 청은 중국의 전통을 전면적으로 수용하고 문물을 발전시켜 안정적으로 왕조를 이끌며 최고의 번성기를 누리고 있었습니다.

오랑캐의 문물이라 폄하하면서 청의 것은 보고 듣지도 않았으니, 조선은 점점 고립될 수밖에 없었습니다. 그러다가 조선을 부흥시키기 위해 많은 정책을 펼쳤던 영조와 정조 때에 와서부터 청나라에 사신을 자주 보내기 시작했습니다. 사신들은 열심히 청나라의 문물을 보고 와서 조선을 변화시키려고 했습니다. 당시 서울의 지식층이었던 사신들은 청에 다녀온 후 조선 문화의 후진성을 깨닫고, 청나라의 문물도 오랜 전통의 한족 문화라는 것을 인정해야 한다고 주장했습니다. 만주족의 문화는 전통 한족의 문화를 흡수하고 통합했으니, 청이 곧 '전통중국, 즉 중화(中華)'라고 인정한 것입니다.

북학파의 거목이었던 박지원(1737~1805)은 1780년 6월에 중국 땅을 밟았습니다. 여러 날 여행하면서 청나라의 산천과 성곽, 배와 수레, 생활 도구, 시장거리의 모습과 상품, 농사, 도자기 굽기 등에 이르기까지 자기 눈으로 본 것을 꼼꼼히 기록하면서 조선과 비교해 보았습니다.

조선으로 돌아온 후 청나라의 진실을 담아 《열하일기》를 썼는데, 그 책은 당시 조선의 젊은 학자들에게 많은 영향을 주었습니다. 오랑캐로만 여겼던 청이 조선보다 더 발전해 있다는 것을 인정하지 않을 수 없었습니다. 청나라가 발전할 수 있었던 까닭은 무엇이었을까요? 조선이 그처럼 발전하기 위해서는 어떻게 해야 할까요? 이런 많은 고민 끝에 나왔던 것이 청의 선진 문물을 배우는 것이었습니다. 나라를 부강하게 만들기 위해서는 청의 문물을 배워 기술을 개발하고 외국과의 무역을 활발히 하는 것이 필요하다고 생각한 것입니다.

결국 천문학에 능했던 홍대용, 박지원을 선두로 하여 젊은 박제가, 이덕무, 이서구 등 서울 출신의 학자들은 조금씩 주장이 달라도 선진 문물을 배워 조선의 난국을 헤쳐 나가자는 합일점을 찾았습니다. 특히 이들은 자신의 주장을 글을 통해 상세히 밝히고 있는데, 홍대용의 《의산문답》과 박지원의 《열하일기》, 그리고 박제가의 《북학의》에서 구체화되었습니다.

그들의 영향은 후대에 깊이 남아, 정조의 뒤를 이은 순조 때 이후로는 북학파들의 사상을 토대로 많은 학자들이 중국의 것을 배워 자연스럽게 선진 학문을 이야기하게 되었습니다. 이제는 북학파라고 나누지 않고도, 청의 문물뿐만 아니라 학문인 고증학(考證學)과 예술까지도 전면적으로 수용하는 분위기가 나타났습니다. 또한 청나라의 문물과 학술을 배우자는 북학론에서 한 걸음 더 나아가 청을 통해 들어온 서양 문물에 흥미를 느끼고 서양과 직접 접촉하여 서양 문물을 수용하자는 주장까지 나오기 시작했습니다.

시대의 변화를 이끌었던 조선 후기 북학파의 역할이 있었기에 조선은 고립과 폐쇄에서 개방과 개화까지 나아갈 수 있는 길목을 열 수 있었던 것은 아닐까 생각해 봅니다. 다만 조선 후기 개방의 흐름이 제도

적 정책이 아니었기에, 20세기에 들어와서 일본이라는 제국주의에 나라를 빼앗긴

것은 아닌지 반성해 볼 부분도 있습니다.

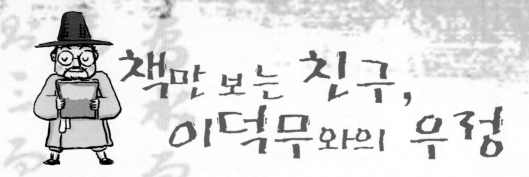

책만 보는 친구, 이덕무와의 우정

　박제가와 평생을 두고 가장 절친했다는 이덕무. 그는 박제가만큼 유명하지는 않아도 많은 독서와 높은 학식으로 많은 사람들에게 알려진 조선 시대 인물입니다.

　'오랑캐의 괴수' 라고 남들이 꺼리고 싫어했던 박제가를 옆에서 따뜻하게 달래 주고 격려해 주고, 듣기 싫은 충고까지 가리지 않고 할 수 있었던 친구가 바로 이덕무입니다. 같은 시대를 살아가면서 함께 아파하고 함께 즐거워했던 이덕무와 박제가의 우정에 대해 한번 알아보기로 할까요? 박제가와 같은 서자 출신이면서 평생 동안 같은 직업을 가졌던 이덕무가 쓴 편지글 중 하나를 살펴보면,

> 모든 내 친구들은 단것을 보면 나를 생각하고 단것이 생기면 나에게 주곤 했는데, 오직 박제가만은 그리 하지 않더군. 그는 세 번이나 단것을 먹으면서도 나를 생각하지 않을 뿐 아니라 주지도 않았는데, 어떤 때는 남이 나한테 먹으라고 준 것까지 빼앗아 먹곤 했소. 친구의 의리상 허물이 있으면 바로 잡아 주는 것이 당연하니, 그대는 내 대신 박제가를 깊이 나무라 주기 바라오. (간본 아정유고 6)

　위 글은 이덕무가 또 다른 친구 이서구에게 보낸 편지글의 일부분입니다. 성인이 되어도 먹을 것을 가지고 주네, 안 주네를 스스럼없이 얘기하는 것을 보면 선비의 체면도 가릴 것 없는 죽마고우라는 것을 알 수 있습니다. 단것을 자기에게 주지 않

는 박제가를 혼내달라는 이덕무의 편지글을 보노라니 저절로 웃음이 나옵니다.

이덕무는 죽기 직전에도 박제가에게 편지를 보냈습니다. 자신의 건강보다 친구를 걱정하는 마음을 담아 길고 긴 편지를 보냈습니다. 한 구절을 살펴보면,

나는 그대의 됨됨이와 성격이 남다른 것을 늘 유감스럽게 생각하였네. 더구나 그대는 동방예의지국인 우리나라에서 태어나고 자라면서도 도리어 우리와 다른 천 리 먼 중원의 풍속을 사모하니, 마음 쓰는 것이 어떻게 그리 크고 넓은가? …(중략)… 임금께서 손수 미천한 선비들을 가엾게 보호해 주시는 고마운 뜻과 함께 글을 숭상하는 것을 크게 북돋아 주시는 은혜를 잊지 말고 임금의 뜻을 저버리지 말게나. 그대는 반드시 상세하고 충분히 살펴서 잘못을 뉘우치고 바른 데로 돌아오며, 성은에 감사하고 죄를 인정한다는 뜻으로 한 편의 고문(古文)을 짓도록 하게.

죽기 직전에 보낸 편지라고는 느껴지지 않을 만큼 친구에 대한 충고가 깊이 배어 나오는 글입니다. 서자 출신인 자기들을 등용시켜 준 임금의 은혜에 진심으로 감사하며, 임금이 고문(古文)체를 써서 글을 지으라는 명령에 따를 것을 박제가에게 권하고 있습니다. 평소 고집스럽고 자기 생각이 뚜렷해 남에게 비난 받던 친구 박제가였으니, 분명 임금의 뜻을 소홀히 여길까 염려가 되었던 것이죠. 누구의 말도 듣지 않는 박제가이니 분명 임금의 뜻을 거역하리라고 생각해, 이덕무가 직접 박제가를 설득하기 위해 보낸 편지입니다. 친구의 처지와 생각을 배려하는 섬세하고 다정다감한 성품이 드러난 글이라고 볼 수 있습니다. 하지만 죽음을 앞둔 친구의 간절한 권유에도 불구하고 고집 센 박제가는 친구의 마지막 당부를 끝까지 받아들이지 않았다고 합니다. 그러나 박제가는 천하의 둘도 없는 벗을 잃은 슬픔으로 누구보다 괴롭고 힘들어했다고 합니다.

조선시대의 농기구

《북학의》를 보면 조선시대에는 제대로 된 농기구가 없었다는 것을 알 수 있습니다. 하지만 조선 후기가 지나면서 농기구의 개량과 보급이 시작되어 지금까지 농기구는 농가에서 많이 사용하고 있습니다.

▲ 호미

농가에서 가장 흔하게 볼 수 있는 것이 '호미' 입니다. 호미는 땅을 고르게 하고 잡초를 뽑는, 김맬 때 주로 사용하는 농기구입니다. 쇠날의 앞은 뾰족하고 위는 넓적하며 한쪽에 가느다란 목이 휘어 꼬부라지고 그 끝에 둥근 나무토막의 자루를 박은 호미는 지역이나 땅의 질에 따라 모양이 다릅니다. 박제가는 이렇게 생긴 호미에 긴 자루를 연결해 일어나서도 일을 할 수 있어야 한다고 주장했습니다.

▲ 곰방메

'곰방메' 라는 농기구는, 논밭을 간 다음 흙덩이를 깨뜨리거나 땅을 다듬는 데 사용합니다. 씨 뿌린 뒤에 흙을 덮는 데 쓰기도 합니다. 둥근 나무토막에 구멍을 뚫고 긴 자루를 끼워 T자 모양으로 만들어 사용합니다.

▲ 고무래

'고무래' 는 논이나 밭의 흙을 고르고, 곡식을 모으거나 펴는 곳에 씁니다. 작은 것으로는 아궁이의 재를 쳐 내기도 합니다. 용도에 따라 날의 모양이 다르기도 한데, 반달형, 직사각형, 사다리꼴 등의 널조각 위쪽에 자루를 박아 T형으로 박은 농기구입니다.

▲ 돌절구와 돌방아

다음은 돌절구와 돌방아입니다. 탈곡한 곡물을 절구에 넣고 겨를 벗겨 먹을 수 있도록 공이로 찧는 데 이용합니다. 양념을 빻거나 떡을 찧을 때도 이용할 수 있고 돌로 만들어져 있어 사람의 힘으로도 곡식을 빻는 데 큰 도움을 주는 기구였습니다.

▲ 써레

옆 사진들은 모두 논밭 바닥을 고르게 하거나 흙덩이를 부수는 데 사용되는 '써레'와 관련 있습니다. 긴 나무토막에 둥글고 끝이 뾰족한 이 6~10개를 빗살처럼 나란히 박고 막대를 단 것입니다. 막대에 줄을 달고 소의 멍에와 연결해서 주로 사용했습니다.

▲ 베틀을 사용하는 모습

삼베, 무명, 명주 따위의 옷감을 짜는 틀을 '베틀'이라고 합니다. 천을 짜기 위해서는 누에 종자를 사서 뽕잎을 먹여, 누에가 고치를 짓게 하는 일을 시작으로 이 베틀에 걸어 날줄과 씨줄을 번갈아 가며 손으로 짜내야 했습니다. 처음부터 끝까지 사람의 손으로 만들어지는 것이었기 때문에 상당히 고되고 오래 걸리는 수공업이었습니다.

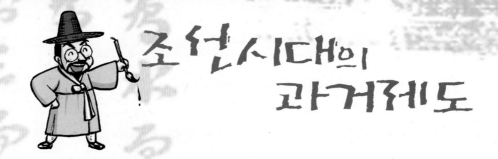

조선시대의 과거제도

과거제도는 중국의 인재 등용을 위한 선발시험 제도였습니다. 그 기원은 중국 위 · 진 · 남북조 시대의 9품 중정제부터 시작되었으며, 수 · 당대에 이르러 정비되어 송나라 때에 가장 성했습니다.

우리나라에서는 통일신라시대의 '독서삼품과'를 그 시초로 보기도 합니다. 788년(신라 원성왕 4년)에 실시한 독서삼품과는 왕권 강화를 목적으로 두었습니다. 관리의 임명을 귀족들의 출신 성분에 따라 결정하던 골품제도에 의하지 않고, 한문 성적을 3품(上品, 中品, 下品)으로 구분해 인재를 등용했습니다. 하지만 귀족의 반대에 부딪쳐 제대로 실시하지 못했고, 다만 학문을 널리 보급시키는 역할을 했습니다. 엄격한 의미의 과거제도는 고려 광종 때 시작해, 조선 말기까지 존속했다고 보고 있습니다.

조선시대의 과거시험은 고려시대보다 중요성이 더해져서 과거를 통하지 않고는 출세의 길을 찾을 수 없었습니다. 과거시험의 응시자격은 제도적으로는 수공업자 · 상인 · 무당 · 승려 · 노비 · 서얼을 제외하고는 누구나 응시할 수 있었으나, 시험의 내용이 어렵고 생업에 종사할 수 없었으니, 현실적으로는 양반들만 응시했다고 봐야 합니다. 조선 후기로 갈수록 응시의 폭이 좁아지고, 점차 가문을 중시하는 경향으로 흘러갔습니다.

조선시대의 과거 시험은 문과 · 무과 · 잡과 · 생원진사시로 나뉘어 있었습니다. 문치주의(文治主義)를 표방했던 국가 정책으로 인해 양반들은 문과를 더 선호했고, 문과의 예비시험적인 성격이 강한 생원진사시에 더 많은 비중을 두었습니다. 기술직을 뽑는 잡과에는 역과 · 의과 · 음양과 · 율과가 있는데, 이것은 중인들이 많이 보았습니다. 문과는 조선시대 과거의 꽃이라고 할 만큼 중요시되어 문과 급제는 가문의 영광이며 사회적으로 인정과 명예를 얻는 지름길이었습니다.

이러한 과거시험에 응시하기 위해서는 몇 단계를 거쳐야만 했습니다. 양반 자제들은 어릴 때 서당에서 한문의 기초과정을 배운 뒤 8세가 되면 중앙의 사학이나 지방의 향교에 진학합니다. 여기서 수학한 유생들이 소과(생원과 · 진사과)에 응시하여 합격하면 생원이나 진사가 됐습니다. 생원과 진사는 다시 서울의 최고 학부인 성균관에 진학했고, 이 성균관의 유생들이 대과에 응시하여 3차에 걸쳐 시험을 봐야 했습니다.

과거시험의 시기는 3년마다 보는 정기시험인 식년시가 원칙이었으나, 큰 경사가 있을 때 실시한 증광시부터 예외적으로 치렀던 별시, 그리고 국왕이 성균관에 직접 가서 시험하는 알성문과 같은 잦은 시험이 있었습니다. 후기에 들어오면서 빈번한 과거시험으로 인해 과거에 합격하고도 보직을 받지 못한 사람이 많아지자, 관직이 당파의 소속, 뇌물과 정실에 의해 좌우되는 등 폐단이 심해졌습니다.

연암 박지원과 《열하일기》

　연암 박지원은 조선 후기 실학의 한 흐름을 설명하는 데 빼놓을 수 없는 인물입니다. 1737년에 태어난 그는 높은 벼슬을 하지는 않았지만, 많은 학문적 연구와 저술을 통해 18세기 조선을 가장 정확하게 파악했고, 조선의 변화를 강하게 요구하고 나선 대학자로 인정받고 있습니다. 시대의 흐름을 정확히 읽어 내고 많은 북학파 제자들에게 영향을 주었던 박지원은 박제가 및 다른 실학자들을 이해하는 데 없어서는 안 될 인물입니다. 뿐만 아니라 18세기 조선을 이해하는 데 박지원의 소설을 많이 인용하는 것은, 그만큼 그가 역사적 안목과 시대적 요구를 가장 잘 파악한 학자이자 문학가였기 때문입니다.

　연암 박지원은 벼슬에 큰 뜻을 두지 않고 독서에만 전념하며 지내다가 1780년(정조 4) 친척 형 박명원이 벼슬을 얻어 청나라에 갈 때 동행하게 되었습니다. 청나라의 랴오둥(요동)·러허(열하)·베이징(북경) 등지를 여행하는 동안, 특히 중국 농민들이 잘 먹고 잘 살고 있다는 것에 충격을 받고, 청나라의 실생활과 생활기술을 눈여겨본 뒤 귀국했습니다. 그때 보고 듣고 생각했던 내용을 기행문 형식으로 묶어 《열하일기(熱河日記)》를 저술했습니다. 그 책을 통해 청나라의 문화를 소개하고 당시 조선의 정치·경제·사회·문화 등 각 방면에 걸친 비판과 개혁을 논했습니다. 그 책은 당시 조선의 학자들에게 널리 읽혔고 많은 충격과 파격을 안겨 주었습니다.

　박제가가 쓴 《북학의》를 읽고 박지원은 서문을 써 주었는데, 자신보다 2년 먼저 중국에 대해 논한 박제가의 눈썰미와 관찰력을 칭찬하면서 이렇게 말했습니다.

'연경에 다녀온 후 박제가가 《북학의》 내·외편을 보여 주었는데, 시험 삼아 한 번 책을 펼쳐 보니 내가 《열하일기》에 쓴 내용과 조금도 어긋남이 없어 마치 한 사람의 손에서 나온 듯하구나. 이것이 바로 박제가가 나에게 기쁜 마음으로 선뜻 보여준 이유이며, 내가 기쁘게 그것을 사흘 동안 읽고도 싫증을 내지 않는 이유야. 아! 한갓 우리 두 사람이 눈으로 직접 확인했다고 해서 그런 것이겠는가? 일찍이 비 내리는 지붕 아래, 눈 오는 처마 밑에서 연구하고, 술기운이 거나하고, 등 심지가 가물거릴 때까지 맞장구를 치면서 토론하던 내용을 한 번 눈으로 확인한 것이기 때문이라네.'

박지원의 말처럼 《열하일기》의 많은 내용은 《북학의》의 주장과 유사한 것을 많이 찾아볼 수 있습니다. 1780년에 중국을 약 2개월간 다녀와서 일기 형식으로 쓴 26권짜리 《열하일기》의 주장과 1778년 박제가가 중국을 다녀와서 쓴 《북학의》의 주장은 마치 한 사람이 보고 들은 것처럼 유사합니다. 예를 들어 수레의 운행, 벽돌로 건물을 지을 것, 중국의 배 등 선진 문물에 대한 수용으로 백성들의 실생활에 도움을 줘야 한다는 이용후생(利用厚生)의 정신으로 같은 눈높이의 글을 만들어 낸 것입니다.

26권 10책에 달하는 《열하일기》의 방대한 내용은 조선 사회의 정치·경제·사회·문화 등 다방면의 개혁을 논했기에 사람들의 이목을 집중시켰습니다. 하지만 책이 나온 지 3년 후인 1783년 이후로 박지원의 《열하일기》는 금서로 지정돼 약 100년간 민간에서는 읽을 수 없었습니다. 정조까지 읽었다는 《열하일기》가 왜 금서가 되어야 했을까요?

　　정조는 누구보다도 학식이 높았고 백성을 사랑하는 정책을 많이 편 훌륭한 임금이었지만, 박지원의 새로운 문체, 즉 중국의 전통 문체인 고문(古文)의 형식을 따르지 않고 개인의 창작에 의한 개성적 문체를 시도한 것에 대해 깜짝 놀랄 수밖에 없었습니다. 문체의 변화는 곧 사상의 변화이고, 사상의 변화는 곧 체제의 변혁으로 볼 수 있었기 때문에 그만큼 우려가 컸습니다. 그럼 정조의 생각을 직접 들어볼까요?

　　'요즘 글 쓰는 풍조가 이렇게 된 근원을 따지고 보면 박지원의 죄 아닌 게 없다네. 《열하일기》는 나도 이미 숙독하였지. 《열하일기》가 세상에 전파된 후로 세상이 이렇게 되었으니 마땅히 이것을 묶은 자로 하여금 그 매듭을 풀게 할 것이야.'

　　이렇게 하여 박지원의 《열하일기》를 금서로 정했고 당대 학자들이 읽을 수 없는 책이 되었습니다. 이를 '문체반정(文體反正)'이라고 하는데 임금의 명령을 따라 보수적이고 고전적인 정통 문체만을 사용하고, 그렇지 않은 것들은 모두 금지한 것입니다. 문장에 나타난 개인과 개성에 대한 자각은 임금의 눈에는 너무나 혁명적이어서 위험하다고 판단했던 것입니다. 어찌 보면 이런 조치는 《열하일기》의 가치를 인정하지 않는 것처럼 보이지만, 달리 생각해 보면 왕이 위협을 느낄 만큼 《열하일기》의 위력과 영향이 지대했던 것으로 평가하는 게 옳습니다. 임금의 뜻으로 개인의 개성적인 창작을 막으려 했지만, 시대의 흐름은 그렇게 인위적으로 막는다고 막아지는 것이 아니었습니다. 《열하일기》에 담겨 있는 개성적 문체나 창의적 내용들은 후대에 많은 후배 학자들의 본보기가 되어 큰 영향을 주게 되었습니다.

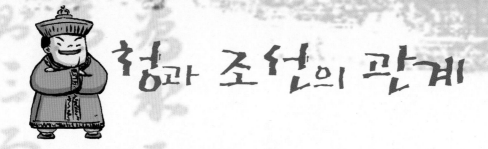

청과 조선의 관계

만주족이라고도 불리던 여진족은 오랜 옛날부터 '금'이라고 하여 왕조를 세우고 우리나라 북쪽 국경 부근에서 살던 민족입니다. 주로 수렵 생활을 했기 때문에 정착보다는 이리저리 옮겨 다녔습니다. 우리나라는 오랜 역사를 통해 중국은 섬기고, 그 외의 나라와는 평화를 유지하는 사대교린의 외교 정책을 펼치고 있었기 때문에 금나라와도 사이좋게 지내 평화를 유지할 수 있었습니다.

이런 금나라에서 누르하치(1559~1626)가 수장을 맡으면서 만주 벌판에 뿔뿔이 흩어졌던 만주족 및 기타 부족을 통일해 '후금'이라는 나라를 세워 강력한 힘을 모았습니다. 후금은 명나라에 계속적인 위협을 주기도 하고 압박을 받기도 하면서 관계를 유지하다, 명나라가 내분으로 혼란을 겪을 때 명의 정권을 돕는다는 명분으로 수도를 점령한 후 명을 무너뜨렸습니다. 그 후 국호를 '청'이라고 하여 현재 중국의 거대한 국경의 구획을 확정하는 대영토를 소유한 왕조가 되었습니다.

청나라는 강력한 왕권과 병력으로 여러 부족을 흡수·통합했는데, 조선은 청에 통합시키지 않았습니다. 이것은 조선의 국력이 강해서라기보다는 청나라에서 조선의 통합을 그리 필요로 하지 않았기 때문으로 보는 것이 더 일반적입니다. 하지만 청나라는 조선에게 많은 조공을 바칠 것과, 군신(君臣)의 예를 갖출 것을 요청해왔습니다. 이에 조선은 그러한 요청에 별다른 반응을 하지 않았고, 화가 난 청나라는 1636년 10만 군대를 이끌고 조선을 침입했습니다. 그것이 바로 병자호란인데, 조선과 청 사이의 커다란 병력 차이로 인해 그 결과는 불 보듯 뻔했습니다. 결국 왕실의 가족들은 궁궐을 떠나 강화도 및 남한산성 등으로 피신해야만 했습니다.

조선의 많은 백성들과 신하들은 '오랑캐의 나라'인 청에 굴욕적 외교를 맺게 되었다는 것에 분노를 느꼈습니다. 그래서 병력을 키우고 북쪽으로 쳐들어가자는 북벌론을 전개했습니다. 하지만 병자호란을 겪은 후 왕위에 오른 광해군은 청과 친선 교류를 맺어 우리나라의 이익을 추구하는 쪽으로 중립적인 외교정책을 전개해 나갔습니다. 복수할 대상인 청과 친하게 지내던 광해군을 못마땅하게 여긴 신하들은 '인조반정(仁祖反正)'을 일으켜 왕위를 인조에게 위임했습니다. 인조는 강력하게 북벌을 추진했는데, 군력을 양성하고 군비를 확충하는 등 전쟁 준비에 만전을 기했습니다. 하지만 17세기 말부터 안정을 되찾고 문화적으로 강해진 청과 전쟁을 치르는 것은 현실적으로 불가능했습니다. 이로써 실제 전쟁을 시도하지는 않았지만, 조선의 신하들은 여전히 청을 곱게 볼 수 없었습니다.

이런 분위기 속에서 영조와 정조가 각각 왕위에 오르자, 청과의 교류에 활기를 얻었습니다. 북벌론이 얼마나 명분에 지나지 않는 것인지 깨닫기 시작한 것입니다. 전쟁에서 이기기 위해서는 국력을 갖춰야 하고, 국력을 갖추기 위해서는 문물을 발전시키는 것이 먼저라고 깨달은 것이죠. 영ㆍ정조 때부터 활발히 사신을 청으로 보냈던 조선은 공식적으로 청과의 교류에 나서지는 않았지만, 유형원을 비롯해 청나라의 문물을 보고 듣고 온 많은 젊은 지식인들을 중심으로 청과 교류하는 데서 얻어지는 이익에 초점을 맞추기 시작했습니다. 특히 1778년 이덕무와 함께 간 20세의 박제가는 정조의 후원에 힘입어 여러 차례 청을 방문한 후, 청에게서 배워야 할 것들을 정리해 책으로 묶어 냈던 것입니다. 그뿐 아니라 홍대용, 박지원 등은 박제가보다 먼저 중국을 다녀온 후 선진 학문과 이론에 대한 식견으로 이들 젊은 학자들의 스승이 되었습니다. 홍대용이나 박지원은 중국 지식인과 직접 만나 장애 없이 의사소통을 하며 학문적 교류를 나누기도 했습니다.

그 후 19세기가 되면서 유럽과 미국은 산업혁명으로 풍부해진 자본과 물자로 아시아를 향해 문호개방을 강하게 요청하기 시작했습니다. 아시아의 강국 청도 결국은 영국과의 전쟁에서 패해 서양과 불평등조약을 맺고 문호를 개방했습니다. 동양의 강국 청이 서양에 패한 것에 충격을 받은 조선은 힘쓸 것도 없이 영국, 프랑스 등의 침입을 받았습니다. 그 후 일본과 문호개방에 대한 불평등조약을 맺은 조선은 식민지의 암흑기를 견뎌 내야만 했습니다. 이로써 서양 제국주의에 주도권을 빼앗긴 청과, 일본과 주도권을 빼앗긴 조선은 동아시아의 공동 운명을 극복하기 위해 협력과 타협을 해야 하는 공존 전략을 세워야만 했습니다.

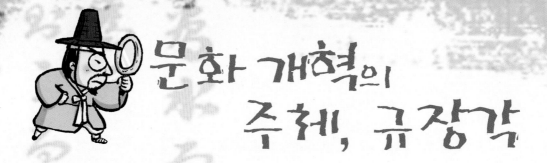

문화 개혁의 주체, 규장각

박제가가 임금에게 신뢰를 받고 중국에 사신으로 다녀오고, 《북학의》라는 '만물 소개서'를 낼 수 있었던 것은 규장각의 검서관이라는 관직에 올라 있었기 때문에 가능했습니다. 중국 문화와 역사에 대해 많은 도서를 모아 읽어서, 문물을 개혁할 수 있는 학식을 갖췄던 규장각의 검서관은 어떠한 역할을 했을까요?

먼저 규장각에 대해서 알아보면, 규장각은 조선시대 정조가 즉위한 후 1776년에 정치적 안정을 꾀하고 사회·문화적 변혁을 추진하기 위해 궁궐 내에 설치한 왕립 도서관으로 볼 수 있습니다.

도서관이라면 많은 서적을 열람할 수 있는 곳이니, 규장각에는 역대 임금의 시문, 친필 등을 보존하고 있었습니다. 하지만 그뿐 아니라 규장각의 신하들은 당시 부패한 관리들의 음모와 횡포를 감시하고, 건국 이래의 사회·문화·경제 등의 변화를 꾀하는 등 신진 세력을 등용해 왕을 중심으로 한 문화개혁의 핵심 역할을 담당했습니다. 모든 사회의 변화는 학문적 바탕으로 이루어진다는 정조의 판단으로 규장각은, 국가 예산을 이용해 각국의 장서를 사들이고 보관할 뿐 아니라, 소외받은 계층의 새로운 의견을 수용하기 위해 끊임없는 연구와 토론을 벌이기도 했습니다.

정조 때 조선의 실학이 융성하게 일어나고, 다양한 사회문화적 변화가 일어날 수 있었던 것은 이처럼 학문적인 바탕이 있었기에 가능했습니다. 정조는 당시 붕당에 의해 좌우되던 정국을 바로잡고자, 학식이 높은 사람이라면 서얼이나 지방 출신의 문인이라 하더라도 규장각 신하로 등용했고, 그들이 왕에게 직접 의견을 제시할 수 있도록 절차나 제도를 간소화해 주었습니다.

그러니 규장각의 신하들은 그 품직은 낮을지언정 왕과 친분이 두터울 수 있었습니다. 서얼 출신은 관직에 나올 수 없었던 기존 제도를 깨뜨리고 규장각의 초대 검서관으로 발탁된 박제가, 이덕무, 유득공 등은 임금의 배려로 중국에 다녀오고, 조선이 변화해야 한다는 이야기를 거침없이 할 수 있었던 것입니다. 이에 기존의 집권 양반층은 규장각을 왕의 친위대라고 비판하며 사적으로 총애받는 규장각의 신하들을 견제하며 상소문을 올리기도 했습니다.

정조가 규장각의 신하들을 적극 보호한 예는 《정조실록》에 나옵니다. 당시 집권 당파의 중심 인물이었던 심환지는 박제가를 못마땅하게 여겨, 그를 파직시켜야 한다는 상소문을 올렸습니다. 박제가뿐 아니라 규장각의 많은 신하들에게 특별한 애정을 갖고 있던 정조는 그 신하들이 직위에 어울리지 않는 월권을 한다는 비판의 상소문을 여러 번 읽었으나, '임금의 마음에 부합하고 앎을 얻은 사람이 조정의 신하다.'라는 말로 그들을 믿고 인재양성과 학문 연구에 집중할 수 있도록 배려했습니다.

규장각은 정조 때만 해도 청의 문집을 사들이는 등 3만 권이 넘는 장서를 보관·수집했는데, 이뿐 아니라 많은 책을 간행하는 일에도 심혈을 기울였습니다. 그때 출판한 《속오례의》, 《증보동국문헌비고》, 《국조보감》, 《대전통편》 등은 당대 양반 사회뿐 아니라 서민들에게까지도 영향을 주었습니다. 하지만 정조가 갑작스런 병의 악화로 죽자 규장각의 역할은 유명무실해졌고, 문화개혁의 시도는 퇴색되었습니다. 그 뒤를 이은 어린 임금 순조 이후의 왕들은 왕실의 외척세력과 세도가문에 흔들려, 왕권이 약화되었습니다. 그러니 제대로 된 개혁을 추진할 힘을 얻지 못한 것입니다. 이것이 조선의 후기에서 가장 안타까운 모습입니다.

　옆 사진은 규장각 서고의 옛 모습입니다. 깊은 밤까지 불이 꺼지지 않고 학문탐구에 정진하던, 정조가 사랑했던 신하들의 모습을 한번 상상해 보는 것도 좋을 것 같습니다.

▲ 규장각의 옛 모습들

박제가 북학의

곽은우 글 | 이상윤 그림

01 《북학의》를 저술한 사람은 누구일까요?
　① 홍대용　　　　　② 박제가　　　　　③ 박지원
　④ 유형원　　　　　⑤ 이서

02 조선 후기의 실학자인 박제가가 청나라의 풍속과 제도를 시찰하고 돌아와서 쓴 기행문은 무엇일까요?
　① 《북학의》　　　　② 《열하일기》　　　③ 《연행록》
　④ 《일동장유가》　　⑤ 《왕오천축국전》

03 《북학의》에는 '북학'을 배우자는 뜻을 담고 있는데, 이때 '북학'이 가리키는 것은 무엇일까요?
　① 서양 문물　　　　② 과학기술
　③ 청나라의 문물　　④ 러시아의 문물
　⑤ 일본의 문물

04 박제가는 백성들의 생활을 개량하기 위해서는 교통, 농업, 상공업의 개량 및 발전이 절실하다고 주장했는데, 이와 같은, 조선 후기 실학자들이 바탕으로 삼은 정신을 무엇이라고 할까요?
　① 민본주의(民本主義)　　② 실사구시(實事求是)
　③ 길흉화복(吉凶禍福)　　④ 중농주의(重農主義)
　⑤ 수기치인(修己治人)

05 박제가가 《북학의》에서 생활의 개선을 위해 필요하다고 주장한 내용이 아닌 것은?

① 벽돌을 상용화하여 집을 손쉽게 짓자.

② 농기구를 표준화하여 농가에 보급하자.

③ 교통 도로를 정비하여 편리하게 하자.

④ 배를 튼튼히 만들어 수로를 활성화하자.

⑤ 말이나 소를 이용하여 짐이나 사람을 운송하자.

06 박제가는 청년 시절부터 이 사람의 문하에 들어가 학문적 교류를 했는데, 청나라 문물에 대한 기행과 학문적 경향에도 많은 영향을 받았습니다. 청나라 기행 후 《열하일기》를 남기기도 했던 조선 후기의 이 학자는 누구일까요?

① 박지원   ② 유형원   ③ 채제공

④ 유득공   ⑤ 이덕무

07 조선 후기 중국은 '청'이라고 하여 명나라 이후 누르하치가 세운 정복왕조(征服王朝)로서, 중국 마지막 왕조였는데, 전통 한족이 아닌 이민족이 세웠다고 하여 조선 사대부들이 배척하고 외교를 단절했습니다. 청나라를 세운 이 민족의 이름은 무엇일까요?

① 돌궐   ② 만주족   ③ 한족

④ 거란족   ⑤ 몽고족

08 ⓒ : 박제가는 《북학의(北學議)》를 정조 19년(1779)에 초계문신 제도로 뽑히면서 이때 규장각(奎章閣)의 검서관이 되어 이덕무, 유득공(柳得恭), 서이수(徐理修) 등과 함께 근무하였다. 당시 부르던 사검서(四檢書)란 이들을 일컫는 말이다.

09 ⓒ : 세도정치란 왕실의 근친이나 신하가 강력한 권세를 잡고 온갖 정사를 마음대로 하는 정치를 말한다. 조선 순조, 헌종, 철종의 3대 60년 동안 왕의 외척인 안동 김씨, 풍양 조씨 등 세도 가문이 이러한 정치를 하였다. 이 시기에는 세도 가문과의 연줄에 대한 의존도가 아니라 능력에 따라 선발 되어 그 지위를 유지하게 된 부류들의 행태가 정치를 문란하게 만들었다.

08 박제가는 조선 정조 때 설치한 왕실 도서관이었던 '이곳'에서 검서 관이라는 벼슬을 지냈습니다. 권력은 많지 않으나 왕가의 자료를 접할 수 있고 왕과 가까운 곳에서 편찬, 인쇄 등의 일을 했기에 문예 부흥의 중요한 역할을 했는데, 이곳의 이름은 무엇일까요?
① 사헌부   ② 의금부   ③ 규장각
④ 승정원   ⑤ 춘추관

09 선진 과학기술을 배우고 대외 무역을 통해 이익을 얻자는 실학자들의 주장은 정치적으로 수용되지 않았습니다. 정조의 죽음 이후 어린 임금이 왕위에 오르자 특정 세력 가문이 권세를 잡고 왕권이 흔들렸던 조선 후기의 바로 이 정치 형태 때문이었는데, 이것을 무엇이라고 부르나요?
① 식민통치   ② 세도정치   ③ 탕평정책
④ 왕도정치   ⑤ 삼권분립

10 조선 후기 사대부들이 중국과 쓰개를 하지 않으려고 했던 이유를 간단히 설명하세요.

통합교과학습의 기본은 세계사의 이해,
세계대역사 50사건

제대로 알차게 만든 교양 세계사 만화!
우리 집 최고의 종합 인문 교양서!

★서양사와 동양사를 21세기의 균형적 시각에서 다룬 최초의 역사 만화
★세계사의 핵심사건과 대표적 인물을 함께 소개해 세계사의 맥락을 짚어 주는 책
★시시각각 이슈가 되는 세계사 정보를 지식이 되게 하는 재미있는 대중 교양서

김창회 외 글 | 진선규 외 그림 | 232쪽 내외